集韻

五

集韻
五

五福五代堂古稀天子寶

八徵耄念之寶

太上皇帝之寶

集韻卷之五

翰林學士兼侍讀學士朝請大夫尚書左司郎中知制誥判祕閣兼判太常禮院群牧使上柱國南陽郡開國侯食邑二千一百戶賜紫金魚袋臣丁度等奉

敕脩定

上聲上

董第一 覩動切 獨用　腫第二 主勇切 獨用

講第三 古項切 獨用　紙第四 掌氏切 與旨止通

旨第五 軫視切　止第六 諸市切

尾第七 武斐切 獨用　語第八 偶舉切 獨用

噳第九 五矩切 與姥通　姥第十 滿補切

薺第十一 在禮切 獨用　蟹第十二 下買切 與駭通

駭第十三 下楷切　賄第十四 虎猥切 與海通

海第十五 許亥切　軫第十六 止忍切 與準通

準第十七 主尹切　吻第十八 武粉切 與隱通

隱第十九 倚謹切　阮第二十 五遠切 與混很通

混第二十一 戶衮切　很第二十二 下懇切

旱第二十三 下罕切 與緩通　緩第二十四 戶管切

潸第二十五 數版切 與產通　產第二十六 所簡切

一 ○董 覩動切艸名說文鼎董也杜林曰藕根文十八 董 正也督也通作董 蝀 螮蝀虹也 懂 懵懂心亂 箽 竹器一曰竹名或从重亦姓 𪔁 𪔁𪔁鼓聲 㶞 水聲 動 振動拜也以兩手相擊而拜一曰今倭人拜以兩手相擊蓋古之遺法 橦 木名 湩 水濁 硐 石墜聲 㖦 多言 㨂 擊也 膧 肥也 嬞 女字 犝 牛名 墥 場墥封 ○侗 吐孔

切侗朋直皃文十七侗㑈侗直行𨉚躘𨉚身不端𢼊𩒓說文直項或从頁亦書作姛挏進前也引也裥衣短袖
㮔說文木方受六升𪌭餅麴瞳瞳曨欲曙恫痛也硧磨也㪌擊也槦鴻槦木名可爲矢𥨣𥨣曨闇也
㛚女字墥壠墥封埒○動𨔝𢓨勭杜孔切說文作也一曰躁也古从辵从彳或作勭文二十一眮吳楚謂瞋
目顧視曰眮詷詷諂急也一曰共也挏說文擁引也漢有挏馬官作馬酒䞒赤色酮酒酢壞洞洞洞孝敬心至也
硐磨也𢼊項直皃或書作姛沖涌也桶廣雅桶㯰箸筩也一曰方斛謂之桶筩甬篌管或作甬桐水名莊子
自投桐水胴侗胴直皃也一曰食腸𥦗通穴也𠲟大歌謂之𠲟峒山穴○籠魯孔切竹器文十四攏持也掠也一曰
拗攏篝籌也儱儱侗未成器㦕㦕悷很也驡秉馬也一曰牽也一曰兼有襱襩袴之兩股曰襱或从賣曨瞳曨欲曙
巃巃嵸山孤皃竉孔竉穴也蘢蘢茸聚皃朧肥皃𨉖𨉖𨉚身不端徿徿侗直行○鸗盧動切鳥名小鳧也
文一○琫鞛琣補孔切說文佩刀下飾天子以玉諸侯以金或作鞛琣琣𩋾一曰皮履文十八玤玤說文石之次玉
者以爲系或作琫䋯𡬂𧛋說文枲履也一曰小兒皮履或作𡬂𧛋亦書作紺蜂蟲亂飛皃俸併俸小皃一曰密不見

唪說文大笑也菶說文艸盛葑艸名爾雅蕦葑蓯埲塺也𩿾鳥亂飛皃𩑻耳本𤫩瓜多實皃詩瓜瓞𤫩𤫩通
作唪○蠓毋揔切蟲名說文蠛蠓也文十七鸏水鳥名矇瞢矇曰未明𤾄物上白釀𩕄𩕄頰頭昏朦豐也大也
矇瞢矇目不明𦄼絲亂也懵懜懞廣雅闇也一曰心亂或从夢从蒙幪茂盛皃詩麻麥幪幪濛微雨一曰
濛鴻大水一曰小溝蒙𦱊蒙飛揚皃𩿳鳥名鵅也胧博雅腫也庬庬頊未分之象通作濛○𢿛捅損動切擊也引
也或从手文九駷擻搖馬銜走或作擻鏓刀通竹節中一曰大鑿平木者𥴮䓤方言箸筩自關而西謂之桶𥴮或作䓤
楤木名摠推也○緫揔總摠𡨆祖動切說文聚束也一曰皆也或从手古作總揔㧾俗作揔非是文二十八
縱趨事皃禮喪事欲其縱縱爾從高大皃禮爾無從從爾鄭康成讀騘騣馬鬣一曰驄角或作騣通作總偬倥偬苦也一曰
事多睃相竊視南楚謂之睃𤺥屋階中會也𢈈衆立也一曰兩屋合𨍉轗車輪方言關西謂之𨍉或作轗熜說文然麻
蒸也䅦稯禾聚束也或作稯翪鳥飛竦翼上下也蓯艸名爾雅須葑蓯一曰蓁蓯艸皃猣犬生三子鬷艸名爾雅
素華軌䡯嵸巃嵸山孤皃𨎮蓍色飾車㚇九㚇山名在雍州繱博雅繁繱絹也璁美石憁倥憁倲不得志○

嗊虎孔切囉嗊歌也文十三 䀦䀦䀦日欲明 䀦䀦䀦月不明 𢤱憤心怳惚曰𢤱或省 䫋頊頭昏 𢻅擊也

澒汞說文丹砂所化爲水銀也或作汞 渢水風也 䫋肥皃 䀦矇䀦目不明 鴻澒濛大水通作澒 ○孔

苦動切說文通也从乙从子乙請子之候鳥也乙至而得子嘉美之也古人名嘉字子孔一曰甚也亦姓古作𠃞文五 空竅也通作孔 倥

倥傯事多一曰苦也 悾悾憁不得志 ○澒汞戶孔切水銀也或作汞文十二 烘烘烘火皃 䫋頭直也 鴻澒濛大水

通作澒 唯鳿唯唯鳥肥大也或从鳥 咏咏咏聲也 𦕡𦕡𦕡耳中鳴 蛩蟲名 颫風皃 銾鍾聲 ○蓊

鄔孔切蓊鬱艸木茂皃一曰艸名可染黃文二十 翁翁翁蔥白色 篛竹皃 霸霸霸雲皃 滃說文雲氣起也一曰大水皃 螉

蟲名 聬聬曚日未明 聬聬聬耳聲 𪚥方言南楚凡大而多謂之𪚥 翁𦏸翁𦏸屈強皃或从頁 𥨰室中闇 塕

塵也 㺋㺋然煙氣也 膒𦛰肥皃或从翁 䨴𪚥香也或从臭 嗡闇聲 𪄶山皃 ○嵷才總切巃嵷山高峻

皃文一 ○菶蓁蒲蠓切菶菶艸亂皃或作蓁文十一 唪大聲 埲埲塕煙塵 𩣡雜起皃 𩡝香氣盛也

大二百廿 小七百九十

烽烽焞火氣 漨漨澝水潰皃 鯥鳥亂飛皃 蠭蟲亂起皃 颿風起皃 ○渢吾蓊切水名在襄國文一

二 ○腫主勇切說文癰也文八 種穜類也亦从重 嗵不能言也一曰嗵喀欲吐 踵說文追也一曰往來皃

𨂂說文跟也一曰迹也通作踵 偅說文相迹也 蕫蕫董髮短也通作種 ○𩀐鷛蠢勇切雛飛皃一曰雀也或从鳥文四

嗵急喘也一曰嗵喀欲吐 衝衝從相入皃張揖說 ○瘇𤺄偅偅𩪘豎勇切說文脛氣足腫引詩既微且瘇或

作𤺄偅偅𩪘文七 𨂂跟也 嗵嗵喀欲吐 ○宂乳勇切說文散也从宀人在屋下無田事引周書宮中之宂食俗作冗非是文三十四

坈地名 𥮜竹頭有文 茸艸生皃 𡜊不肖也一曰偷𡜊劣也通作茸 𨈤𨈤𨈤猥雜皃一曰不肖 搑說文推擣也

䡥𨋸軵說文反推車令有所付也一曰輕車或从茸从宂通作搣 搣相 沉沉沉水皃 𣮷𣯷𣰆𣰤

𣰤𦅻說文毛盛也引虞書鳥獸毴髦或作𣯷𣰆𣰤𦅻 𣯲𤸇說文羽獵韋絝引虞書鳥獸𣯲毛或作𤸇 𡖺𡖺𡖺眾多也

迒𨂼行也或作𨂼 牨吴牛名 蚘小蟲行 鼧說文鼠屬 𥟮禾使也 縙傳雅索也 秾秬黍

𡊅地名 傕衆也 𦐝艸亂皃 𢧵戟屬 ○竦悚𢯱𢾾筍勇切說文敬也从立从束自申束也一曰上

也或从手古作𢾾𢾾文二十二 愯𢥞悚說文懼也引春秋傳駟氏愯或作𢥞悚通作聳 慫說文驚也 聳說文生而聾曰聳一

日高也 從從從疾皃或从人 擭擭執也推也或省 縃纇獸前絆謂之縃或作纇亦書作縃 褷襌衣
嵸嵱嵸山峯皃 騻搖馬銜走也 蓯衝蓯相入皃 洶洶溶水皃 愡𢥞楚人謂幝曰𢥞愡或作𢥞 ○ 䙕
愡𧝎㥍䙕取勇切博雅䙕襌幝也一曰帙也或作愡𧝎㥍䙕文六 嘡嘡嗒欲吐 ○ 褷足勇切博雅褷褋襌衣文四
慫從縱方言慫涌勸也或作從縱 ○ 捧拝奉撫勇切掬也或作拝奉文七 㛔死也 麷𪍴熬麥也周禮其
實麷蕡徐邈讀 漨水也 俸伴俸小皃 ○ 覂庈泛𧿳方勇切說文反覆也或作庈泛𧿳文七 䦃𩰆所以
枝鬲者或作𩰆 塳塗也 ○ 奉捧𡙁父勇切說文承也或作捧古作𡙁奉一曰祿也文四 唪口高皃一曰大笑 ○ 冢
𡎺展勇切說文高墳也或从土冢一曰大也文五 涿偃水也 湩水濁 㟲山名 ○ 寵丑勇切說文尊居也一曰愛也文三
趬趬趯小行 埫埫塎不寧 ○ 重𡍮柱勇切厚也善也慎也古作𡍮文九 偅說文遲也 襱襩裥說文綺縞
也方言𧞸齊魯之閒謂之𧞸或从賣从同 鮦說文魚名一曰鱧也 憧廣雅憧謂之㦷 𡣻女字 ○ 隴魯勇切說文天水大坂也因以為州
名文五 壠龍說文丘壠也一曰田埒或省亦書作龍通作隴 躘行正也 𡍙說文塗也 ○ 甬尹竦切說文艸木華甬甬然也

覔

周禮鍾舞上謂之甬一曰甬東地名在越文三十四 埇地名在𣲥泗一曰道上加土通作甬 勈𢦒恿說文氣也一曰健也或从戈从心亦
書作勇 悀慂愹心喜也一曰凡以器盛而滿謂之悀或从勇从容 踊踴說文跳也一曰刖足者屨或从勇 𧾈說文
喪辟𧾈通作踊 嗈嗵嗵嗈欲吐或从甬 𨗨容臾勸也方言南楚凡己不欲喜怒而旁人說者謂之慫𨗨或作容臾 搈
說文動搈也 傛安也 俑說文痛也一曰偶人 衕道也 涌湧說文滕也一曰水名在楚國或作湧 溶說文水盛
也 塎埫塎不寧 嵱嵱嵸山峯皃 蛹說文繭蟲也 筩筩室 桶斛也通作甬 硧磨石 䭹餇食也或省
㛚女名 㣑垂帶飾皃 鰫魚名 ○ 洶詡拱切說文涌也一曰洶涌水聲文七 訩衆言 兇恟說文擾恐也引春秋傳曹人兇
懼或作恟 昫朐煦日出溫也司馬法鼓旦明五通為發昫或作朐煦 ○ 恐㤟𢖶丘勇切說文懼也古从工或作𢖶文七
䓘艸名廣雅䓘革蘭𦽔也 拲兩手同械 跫行聲 𣚍穫也 ○ 拱共古勇切說文斂手也或省文二十九 拲
𢪔說文兩手同械也引周禮上辠梏拲而桎或作𢪔 廾𢪛說文竦手也揚雄說廾从兩手 巩𢀜𢀜說文褢也或从手亦
作巩 供說文戰慄也 珙𤦆璧也或作𤦆通作拱 鞏說文以韋束也引易鞏用黃牛之革一曰固也亦縣名又姓 䦉所以枝鬲

者一曰春器亦姓 輂車輞一曰轢也 輁輁軸喪遷柩之具 栱杙大者曰栱 䂬說文水邊石也引春秋傳闕䂬之甲 𤮨

𤮨瓶也或从缶 蛬蛬蟲名博雅蛬趨織或作蛩 䱋魚名博雅鱃也 䣐鹹菹 獷獷平縣名在漁陽服虔說 䭶馬名

青毛善走日千里 舼舟名 孑孑孑井中小蟲 蛩蟲名百足也 ○拲巨勇切擭也文三 洪凝也 輂曲轅一曰車輞 ○

攡擁委勇切說文抱也或作擁擁攡亦書作擧擧文十八 臃臃腫肉起 灉水聚 雝睦也祐也 壅廱

邕堨塞也或作廱邕通作雍 廱 𧐖蟲名廣雅蠶也一曰蛘也或作蠁 㢑氣咽塞 翁葱白色 㼦㼜類 𡗝吳王

孫休子字 𩟧食饐也 䨴雲氣 ○湩都鴆切乳汁一曰水濁文三 硿石墜聲 揰擊也 ○䙴乃湩切博雅䙴襛多

也文四 襛博雅紛襛不善也 癑說文痛也 獶犬多毛 ○䳹毋湩切鳥名似鷹而白或書作䑃文二 䑃豐大也

三 ○講古項切說文和解也一曰謀也習也文九 港水分流也 溝或作溝 𠐝佬傋不媚皃 耩耩耕也或从

禾 虹蝃蝀也鄭司農曰白虹彌天或書作𧈧 顜覯明也和也直也史記顜若畫一或从見通作講 ○傋虎項切佬傋不媚文七

𢤱惰𢤱很戾 揁扛山東謂擔荷曰揁或作扛通作傋 䏲肥皃 𩒴邪視 𩓱勨頂多力 ○惰傋𢤱

鄗項切惰講很戾或从人从乙文六 䶨色深惡皃 勨勨頂多力 䶨䶨襛多也 ○項戶講切說文頭後也亦姓文六 缿說文受錢

器也古以瓦今以竹一曰缿如瓶可受投書 䒱艸名似葵 頂勨頂多力 澒水銀或作汞 ○𦁛補講切小兒皮

屨一曰枲屨或从革亦書作縏文三 𩑔耳本也 ○棓部項切說文梲也謂木杖或作㮝亦从奉从丰文十七 棓㮝棒桻

抪打也 䩬邦屬 玤說文石之次玉者以爲系璧或作琫 邦周地名通作邦 蚌蜯蚌𧉵

說文蜃屬一曰美珠或作蜯蚌𧊜蛖 㭋倖倖惰很戾或从丰 𥒒石皃 ○倯毋項切倯傋不媚文七 硥石皃 䳹

䳹鴝鵒鳥名似鷹而白或从佳 䑃朦豐肉或作朦 厖豐也厚也詩爲下國駿厖徐邈讀 ○𢶍揇匹講切撞也刺

也或作𢶍文四 䙴䙴襛多也 饃河朔謂強食不已曰饃 ○控克講切打也文三 崆山皃 㱋堅固也 ○䉶普講

切擊也文一 ○聳雙講切博雅聾也一曰欲也悚也文三 㩴執也 傱齊立皃 ○𢣊初講切衆瘱也文二 䉶帆張也

四 ○紙帋掌氏切說文絮一苫也釋名紙砥也平滑如砥一說古以搗絮蔡倫後以敝罔樹膚爲之一曰姓也或从巾文二十九 䋑

平石 坻隴阪也 坘汦說文箸也或从水 泜水名山海經拘扶之山泜水出焉 只𠮛說文語已詞或作𠮛 𣅀

䎣趾說文中婦人手長八寸謂之咫周尺也或作䎣趾 扻說文開也 抵扺觝批說文側擊也或作扺觝批
枳說文木似橘一曰枳首蛇名一曰縣名在巴 軹說文車輪小穿也一曰地名通作枳 恀怟爾雅恀怙恃也或从氏 駅駅駼
鳥名赤足善衛獒 積說文多小意而止也一曰木枝曲 氏姓也 祇辭也易無祇悔馬融讀 疻說文毆傷也 訳廣雅調也
𦽪𦽪蒻艸名小萍也 蠽毒蟲名 ○ 弛弨𧇨賞是切說文弓解也一曰捨也或作弨𧇨文十八 豕豕說文
彘也竭其尾故謂之豕象毛足而後有尾古作豕 阤壞也 施捨也改易也通作弛 簃銋爾雅簃簃也或作銋 侈大也一曰鐘形
中央約 豨豨韋氏古帝王號李軌說通作豕 胣肔刳腸也莊子萇弘胣或作肔 𠪚㢋闕人名莊子有謂𠪚或从广
瘳衆皃一曰自放縱 豙豕屬 𢥘不憂事也 ○ 侈奓佀敞尒切說文掩脅也一曰奢也大也或作奓古作佀文二十四
䣦有大度也 㢋㢋說文廣也引春秋國語俠溝而㢋我或省 哆衆意春秋傳於是哆然外齊侈也一曰張口一曰大皃 誃
謻說文離別也周景王作洛陽謻臺或作謻 垑說文恃也謂恃土地 恀恃事曰恀 濸沽濸音不和 姼說文美女也一曰姑姼輕
薄 姼妻母曰姼通作姼 簃銋說文曲簃也一曰鬵鬲一曰小刀或从氏 𤆵火也 𦙶肉物肥美也 袳
袳袲說文衣張也引春秋傳公會齊侯于袳或作移袲亦書作袲 豙豕屬 𧇶𧇶虎不齊也 疻毆傷也 ○ 是昰
上紙切說文直也亦姓古作昰文十九 諟惿說文理也一曰正也審也或从心 氏阺說文巴蜀山名岸脅之旁箸欲落墮者曰氏引
揚雄賦響若氏隤或作阺氏一曰姓氏也姓王者所賜氏以王父字為之 跃說文對也一曰積聚 徥行也 媞說文諦也一曰妍黠也一曰江淮之
閒謂母曰媞 姼美女一曰南楚謂妻母曰姼 恀怟恃事曰恀或从氏 禔美衣服皃 鯷魚名重千斤 𧲣狼屬似狐
白色尾長見則有兵 踶牛展足謂之踶 𢐁彈也 𥻆黏也 崼山也 ○ 舓䑛舐𦧇甚尒切說文以舌取食也
或从也从氏从是文五 狧犬以舌取物 ○ 尒忍氏切說文詞之必然也通作爾亦書作尔文八 爾爾說文麗爾猶靡麗也一曰汝也
从冂从㸚尒聲或省 邇𨖼迩說文近也古作𨖼或作迩 薾說文華盛引詩彼薾維何 嬭娣謂之嬭 ○ 躧𩏔
蹝所綺切說文舞履也或从革从徙文二十二 𩋯說文鞮屬謂革履也 屣屣不躡跟也 灑汛也落也爾雅大瑟謂之灑言琴瑟多變
聲流離布出如灑也 簁簏說文簁箄竹器也或作簏 纚縰斯說文冠織也謂以緇帛韜髮或作縰斯 矖覼
𥈽視也或作覼𥈽 蓰物數也五倍曰蓰孟子或相倍蓰或相什百 攦折也莊子攦工倕之指徐邈讀 釃說文下酒也一曰醇也

大字二十　小七百七十六　郭信

䍦分也 縦潤也 䍦盪也 䙰襂纚旌旂皃 䌳毛垂皃 ○批阻氏切說文捽也文五 跐蹈也 䘹䘹也
䰈 䴾磨麥也或从臼 ○揣 𢾍 𢸊楚委切說文量也度高曰揣一曰捶之或从攴古作𢸊文七 蜵蟲動皃 椯
捶也剡也 鬌髮好皃 𪎭膚如粟 ○捶 棰主縈切說文以杖擊也或从木文十四 䇢 箠說文擊馬也一曰策也或
从艸 𠨬 𠨬小卮或从專 䮔 騋說文馬小皃籀从來或書作䮔 𦦨博雅𦦨舂也 𠈁怭怚小皃 沝說文二水也
錘鍛也 諈諈諉煩重皃 揣治也 ○䓑 𡍮是捶切木名周禮有華氏共荊華以爲龜或作𡍮文八 㥨不悅皃
壝土埒 箠馬策也 錘鍛也 捶以杖擊也 種博雅積也 ○繠 橤乳捶切說文垂也或从木文九 蘂 蘃
艸木華蘂或作蘂通作繠 䝐艸秀不實 蕊艸木叢生皃一曰香艸根似茅蜀人所謂葅香 𠞌柔弱也 䇱竹葉再生曰䇱 橤木名
○𨑢 𢓜 徙 𢼘 𨔚想氏切說文迻也或从彳亦作徙古作𢼘𨔚文十五 壐 璽說文王者印也所以主土籀从玉
磃虒氏館名 㐰 𢔽 佌說文小皃引詩㐰㐰彼有屋或作𢔽佌 𢐗弛弓 蓰艸名 杫 𣕊木名可以爲器或不
省 ○此淺氏切說文止也从止从匕匕相比次也文十七 佌 㐰 𢔽小也詩佌佌彼有屋或作㐰𢔽 跐履也或書作𧻚

春

𧺝說文淺渡也 泚水清也 𣐈直大也或書作𣐈 鴜鳥名或書作鷲 𩢐說文馬名 𢂑巾也一曰布名 玼
皉玉色鮮絜或从白 㚴舞也一曰婦人皃 𧆛𧆛虎不齊也通作佌 坻阪也 鮆魚名 ○紫蔣氏切說文帛青赤色亦
姓文二十 茈說文茈艸也一曰薑類一曰蔽屬 訾 𧭈說文不思稱意也引詩翕翕訿訿或从疒亦書作訿 呰說文苛也一曰此也
呰說文窳也一曰短也 批說文捽也 跐行皃一曰足踐也 𣳚 泚水名在長沙或作泚 䱴山海經汾水多䱴魚狀如鯈而
赤鱗 疵毀也通作訾 佌爾雅佌佌小也 毑 姐母也或作姐 𩚵惡食也管子𩚵食則不肥 胔鳥骨一曰骨有肉謂之胔
或書作骴 杫木名 䇲竹名 𧙈衣縫 ○𩪏 髓 䯝 𩨨選委切說文骨中脂也或作𩪏髓䯝𩨨文十六
瀡齊人謂滑曰瀡 䭂 𩝐 𩟔豆屑和飴也或作䭂𩟔 䨹䨹𩃀弱皃一曰䨹䨹細皃 䕯艸木花䕯皃 巂 嶲
越嶲郡名或作嶲 𦝎博雅蔕也 𤜪 𤞞牸豚或不省 ○觜 㭰 嘴 𠻘祖委切鴟舊頭上角觜一曰觜觽星名或
作㭰嘴𠻘文五 𣝐說文識也一曰石鍼謂之𣝐一曰藏也 ○惢聚縈切說文心疑也从三心文三 𤡰獸名 𥟄禾積也
○㩌展豸切博雅刺也一曰至也文五 𧞗衸𧞗敝衣 䵹䵹䵸艸書勢崔子玉記 譈言也 癓下病 ○褫丑豸切奪

衣也文九剫剥也觽說文角傾也搋扡拸析也或作扡拸弛落也胣肔刳腸曰胣莊子萇弘胣徐邈讀

或作胣○豸蛥文尒切說文獸長脊行豸豸然有所司殺形一曰有足謂之蟲無足謂之豸或从虫文二十六芖艸名蒿也虒委虒

獸名似虎而角出廣陽䖘解䖘獸名通作豸傂㑒傂參差皃通作虒扡析也觽角不端或从豸褫奪衣也易終朝

三褫之禔衣厚皃徥行徥徥謂之徥䊓黏也阤陁陊說文小崩也一曰崖際或作陁陊踶踶跂用力皃

杝說文落也一曰析薪鳩解也春秋傳庶有鳩乎徐邈讀通作豸蠆毒也郭象曰無蠆介於背中簃連閣也締結也楚辭

氣繚轉而自締𨻰地名蚔蟲名蚑也坻秦人謂阪曰坻𥎊矛屬○邐華尒切說文行邐邐也一曰邐迤旁行連延也文九

峛峛崺丘名㸚說文二爻也𤺥病瘠黑也欐欐佹支柱也一曰重累跂踶跂用力皃離離跂攘臂皃纚

連也攦折也○柅乃倚切說文木也實如棃一曰杘柅木弱皃文十二伲儞你汝也或作儞你檷鑈絡絲趺一

曰所以制動或作鑈通作柅𧙫裿𧙫衣好皃旎旖旎旌旗从風皃狔猗狔弱皃䭲馜䭲香也呢聲止也抳止也○

酏演爾切說文黍酒也一曰甜也賈侍中說酏為鬻清文二十三匜器也說文似羹魁柄中有道可以注水迆迤說文衺行也引夏書

東迆北會于匯一曰靡也訑𧧸自得之語或从匜崺峛崺丘名袘衣緣也胣肔刳腸也或作肔𢡃說文怟𢡃

不憂事也搋拸扡析也或作拸扡雉下雉縣名在江夏也詞也斯也佁小皃㸚希明皃嫷愚戇多態

移木名唐棣也禠福也陁阤衺皃或作阤○企𧺝跂遣尒切舉踵也或作𧺝跂文九抧開也

觖怨望也𨒪愽雅避也忮害也健也逗曲行也吱行喘謂之吱○枳頸尒切枳椇木名白石李也一曰枳首蛇

名文四積多小意而止也沢水名駅駅鶪鳥名似烏赤足○䓯尹捶切艸名方言芡北燕謂之䓯文十七蔏艸名

說文藍蓼秀一曰蔕也或作䔲芛荾說文艸之皇榮也一曰艸木華初生者為芛或从荾省猜䝼猜隊說文猜也一曰

俗呼小猜為猜子或省亦作猜隊𤸁膸說文創裂也一曰疾𤸁或作膸𢥞怒也嫷愚戇多態掅撍愽雅棄也又曰捫也

或作掅貐猰貐獸名類貙虎爪食人𩞁豆屑和飴也○趌跬頃蹞窺躝犬蘂切說文半步也司馬

法凡人一舉足曰跬跬三尺也兩舉足曰步步六尺也或作跬頃蹞窺躝文十三跬奎跬跬開足皃或省頍說文舉頭也引詩有頍者弁

鈌卷幘也結項中隅為四綴所以固冠者儀禮緇布冠缺項通作頍烓行竈烓火皃抧開也○韡許倚切外息聲一曰去涕

文三𢧵博雅擊也嘕氣聲一曰多言○綺去倚切說文繒也亦姓文十三婍博雅好也通作綺㥓㦘㥓儉意䞨

行皃或从奇㽈病疸也觭牛角謂之觭一曰角一俯一仰碕石皃齮齧也䙟博雅襌襦謂之襜䙟⿺辶奇蹇也

崎山形一曰崎錡不安皃敧敧敧多少不齊皃○掎舉綺切說文偏引也文十五⿺辶奇蹇也一曰一足行踦博雅脛也

何休說閈一扇開一扇一人在外一人在内曰踦門攲去也一曰不平㱦棄也剞刻說文剞劂曲刀也或作刻庋庪

掎攱閣藏食物也或作庪掎攱觭得也周禮觭夢軹車輪小穿也䙟博雅襌襦謂之襜䙟枳枳椇木名一曰白石李○

技巨綺切說文巧也通作伎文十四妓㚦說文婦人小物也或从多徛舉脛渡也伎說文與也引詩鞫人伎忒錡釜也

方言江淮陳楚之間謂之錡倚立也易參天兩地而倚數王肅讀踦足脛也鬾鬼服䯨小骨䝭貝名崎㟢崎山皃

敧鈘三足鍑或从金○倚奇隱綺切說文依也或作奇通作猗文十九猗犗犬一曰猗狔弱皃椅檹椅柅木弱

皃一曰木名或从旖旖旑旖旎旌旗從風皃或省輢說文車旁也踦立倚也春秋傳踦閭而語漪⿰矢奇博雅𢓭也或作

⿰矢奇⿺辶奇蹇也陭隑也䈷博雅䈷𥰭符箸也庴庋藏也⿱奇香⿱奇香䭲香也裿裿袘衣皃攲㩋攲匜不正

也或省○螘𧖣蟻蛾𧑌語綺切蟲名說文蚍蜉也或作𧖣蟻蛾𧑌文二十四齮䶡說文齧也或从義亦姓

錡說文鉏鋤也江淮之間謂釜曰錡一曰鑿屬敧鈘說文三足鍑也一曰瀰米器或从金轙钀說文車衡載轡者或从金獻艤

南方人謂整舟向岸曰艤通作檥檥榦也一曰木名𡾊⿰阝義峩嶬山高皃或作⿰阝義亦書作巇礒硪石皃或省羛羛陽鄉名

在鄴㚤婍㚤好皃踦觸也莊子膝之所踦綺闕人名莊子有士成綺𥳉竹器⿰義阝地名○頠五委切說文頠閑也一曰靜也

文十三姽博雅好也硊磈磈硊石也或从鬼⿰危鳥⿰危隹鳥名鴟鳩也即今布穀或从隹頍弁皃瓦屋甃也莊子[illegible]瓦結

繩厃說文仰也从人在厂上一曰屋梠秦謂之桷齊謂之厃峗峻峗山皃⿰危鳥⿰危鳥目好皃⿰足奎開足行皃洈水名在南郡○委

鄔毀切說文委隨也一曰棄也任也安也文十五⿰口委聲也骫說文骨耑骫䯞也一曰骫骳屈曲也⿺丸咼說文鷙鳥食已吐其皮毛如丸

𦍧羊相積也蜲蟲名委負也通作委崣崴崣山高皃萎萎藥艸爾雅熒委萎葉似竹表白裏青可啖或作萎⿰多委

多也磈碨䃬磈硊石皃或作碨䃬捼捫也嵬山皃○蔿羽委切說文艸也亦姓文十五蘤華榮也薳說文

艸也引春秋傳楚大夫薳子馮寪說文屋皃亦姓⿵門爲⿵門毀說文闢門也引春秋國語⿵門爲門而與之言亦姓或从毀鄬地名隝阪名

在鄭地獡豕名𠌯動搖也𤸷說文口咼也䉧笱皮𤸷病也一曰𤸷裂撝裂衣也𡢃愚也○毀毇
虎委切說文缺也一曰壞也古从壬文二十毇𥽉說文米一斛舂爲八斗一曰饘也或作𥽉譭譭謗也或作譭通作毀𣪏說文
惡也一曰女字或書作嫛擊說文傷擊也或書作擊燬焜燬火也或作焜燬烜取火官名周禮司烜氏掌以夫遂取明火於日
檓木名爾雅檓大椒今椒樹叢生實大者名爲檓䲦鳥食吐毛如丸碼敗也列子事之破碼𥳐𥳐𥳐舂謂之𥳐或作
𥳐亦省𧂇艸名祪遷廟也通作毀○𢓜倭㛪嬀苦委切博雅傷也一曰跛也或从委亦作㛪嬀文十二蛫
蟹屬跪說文拜也郈陸郈山名頠面頠也一曰厚也爾雅貝蚆博而頠䫥細也秦晉之間凡細而有容謂之䫥奎奎蹻開足行皃
薛綜說垝隗毀垣也或从𨸏○詭謉譌古委切說文責也一曰詐也或从鬼从爲文三十三傀恑異也姽
說文閑體行姽姽也恑說文變也一曰悔也庋庋攱閣藏食物或作庋攱𥙊祈祭山名或作祈通作庋庋𥥖通也
祪說文祔祪祖也一曰毀廟主佹㩻重累也一曰依也或从支𢫫毀撤也垝陒說文毀垣也引詩乘彼垝垣或从𨸏
郈山海經綸山東有陸郈山通作陒𥥑穴也鈽說文函屬一曰瑩鐵桅說文黃木可染者䂓短矛洈說文水出南郡

高城洈山東入緜觤羛說文羊角不齊也或从羊鵗鷤鵗鳥名子規也蛫說文蟹也一曰蟹六足者一曰鼠負也一曰猿類一曰獸
名似龜善傳火蟡涸水之精曰蟡𢘎疲極也跪趍張跪也或从走𩊲鞼也○跪趍巨委切跪跪也或从走文
四峗硊山皃或从石○俾補弭切說文益也一曰俾門侍人文十六裨卑使也或作卑通作俾𡎒博雅窞埤客也
㨭挾持也髀𨁈脾說文股也或从足从肉岬山足也一曰兩石間鞞鞞削方言自關而西謂之鞞箄說文
簁箄也博雅箄簍篆也方言箈箄析也䵗說文黍屬萆萆艸名爾雅萆鼠莞可以爲席或作萆𠥜籠也𦢊股也○諀
吡普弭切博雅諀訾毀也或作吡文十六頩傾頭也䚡角傾也嶏山摧也庀庇比治也具也或作比
疕說文頭瘍也一曰痂也仳別也詩有女仳離訛訿言具也或省敉爾雅撫敉撫也孫炎讀𨁈形下大也
蚍茈艸名爾雅茈蚍衃或作茈○婢部弭切說文女之卑者也文七庳說文中伏舍一曰屋庳通作埤𨁈卑形下大也
或作卑通作庳𢿶敝跬用力皃埤田百畝謂之埤髀股也通作髀○弭㣆母婢切說文弓無緣可以解轡紛者古从兒通
作彌文二十五渳說文飲也周禮大渳謂浴尸也洱水名入洛通作洒彌瀰洋沔水盛皃或作濔洋沔敉

侎說文撫也引周書亦未克敉公功一曰愛也安也或从人从心 㥝屬也 𨶹褊狹也一曰少力劣而爭 罙智也 芊冒

咩說文羊鳴也亦姓或作哶 𥨊孰寐也 蝆蟲名爾雅蛄𧐐強蝆今米穀中小黑蟲一曰蝆蝆螗蜋也 葞爾雅葞春艸 彌

辟止也周禮彌災兵或作弭通作弭 髀股也 檷絡絲具 瞇眇目也 彌弛弓 ○ 彼補靡切說文往有所加也一曰

對此之稱文八 碑說文裂也 彼埤倉邪也 柀木名說文樧也一曰折也 罷㒙遣有罪也或从人罷亦姓 貏貏豸漸平皃

紴錦屬 ○ 𣦸普靡切折也文七 披裂也 菠艸名 紴錦屬 柀柀黏木名 秛祖也 頗闕人名春秋傳楚有

薳頗 ○ 被部靡切寢衣一曰及也亦姓文八 䕻艸名 罷弱也易或鼓或罷徐邈讀一曰散也春秋傳布路而罷一曰遣有罪 貏貏豸

漸平皃 埤下濕也春秋國語松柏不生埤 𣦸折也 骳骫骳曲也 庳舍下也 ○ 靡母被切說文披靡也一曰靡曼美也一曰

無也文十五 𡾺山名 𨇜𢕟𢕟行皃或作𢕟𢕟通作靡 䊳碎也 孊女字漢許皇后姊孊 𦗩說文乘輿金馬耳也

𥨊𥨊熟寐也或作𥨊 骳曲也 蘼艸名爾雅蘼虋冬通作靡 縻散也易吾與爾靡之徐邈讀 灖水流皃 旎

旖旗皃 ○ 𧳜𧳖直婢切㹌犴也或从豕文三 䅜小積也 ○ 萎䔾女委切艸名爾雅熒委萎或作菨文二 ○

鮆自爾切刀魚也文一

五 ○ 旨舌𣅀𣅃𠮛百軫視切說文美也古作舌𣅀𣅃𠮛或作百文十九 恉說文意也通作旨

指脂說文手指也或从肉 祁地名 詣說文訐也 厎砥說文柔石也或作砥厎一曰定也 耆致也通作厎

茋茋茋苨艸名萍也或省 栺木名 氐氐道地名在廣漢 䓜蓋杜絲也 ○ 矢笶矤𢍰矧視切說

文弓弩矢也从入象鏑括羽之形古者夷牟初作矢或从竹古作𢍰夰矢一曰陳也文十一 芺說文菜也 䓇㞑𡲼屎屘

說文糞也从艸胃省或作㞑𡲼屎屘通作矢 䂖石墮聲 ○ 視眎眡眂善旨切瞻也比也或作眎眡古作眂文五 鉃

箭鏃 ○ 水數軌切說文準也北方之行象衆水並流中有微陽之氣也文四 𥬇竹名 洍洍短皃 準平也一曰車輮脊不停水 ○

洍汝水短皃文一 ○ 死𣦹𣦸想姊切說文澌也人所離也古作𣦹𣦸文三 ○ 姊蔣兕切說文女兄也文四

秭說文五稯為秭一曰數億至萬曰秭 第牀也方言陳楚謂之第 𢍫止也 ○ 𤉯兕𠒋兕雉序姊切獸

名說文如野牛而青象形與禽离頭同一說雌犀也古作兕𠒋或作兕雉文十 羠說文騬羊也 𧲣豶豕 薙芟艸也 芺茮𦯀艸名

嶲也或从矢○趡取水切說文動也引春秋傳盟于趡趡地名文二踓狂走一曰䟿也○濢祖誄切說文小溼也文九膟博雅膟䏶

胃也一曰肥寶謂之膟嗺鳥啄一曰鳥聲琗玉色鮻朘赤子陰也或从肉嶉隹山皃或省嗺山曲也○

𡸣粗誄切𡸣嶵山皃文一○黹絺希展几切說文箴縷所紩衣或作絺希文十五襹繡黻說文紩衣

也或作黹綴夂說文从後至也象人兩脛後有致之者䝲財物相當鏽鑽也敊說文刺也柢礙也鵗雉名通作希

黹黹黈艸書勢𣚦木枝軝大車後至○𩮤𧒕褚几切移蠶也或从蠶文二○雉𩛿鴙鶙

直几切鳥名說文有十四種盧諸雉喬雉鳴雉鷩雉秩秩海雉翟山雉翰雉卓雉伊洛而南曰翬江淮而南曰搖南方曰𨿽東方曰甾北方曰稀西方曰蹲古从弟或作鵗鶙

雉一曰陳也理也文十一滍泜說文水出南陽魯陽堯山東北入汝或作泜阯山名鞋騃具也薙芟也埃坁城三堵也

太玄閑黃埃或作埃通作雉○履屨𩓘頣𠆟屦兩几切說文足所依也或作屦古作顮頣𠆟屦文六○

柅女履切說文木也實如棃一曰止車輪木文七檷鑈絡絲柎或从金通作柅䛏呢言以示人或从口抳博雅止也

一曰手指物𡰥說文籆柄也通作柅○壘魯水切說文軍壁也亦姓文四十四垒說文垒墼也厽說文絫坺土爲牆壁象形

絫累說文增也絫十黍之重也或作累礧𡾋壘嵔䃬碨礧山皃或作𡾋壘嵔䃬通作壘藟蘲

說文艸也引詩莫莫葛藟一曰秬鬯或作蘽蘽櫐虆說文木名爾雅山藟虆似葛虎藟有毛刺或省籒作虆藟山海經藟山其上有

玉膘皮起也樏山行所乘一曰盤隔器名一曰木實灅渨灅水波涌起皃漯灅灅水名出鴈門或作灅漯

雷推石下也礨礨空小穴一曰小封也畾田間謂之畾轠轤轠車讄誄讄說文禱也累功德以求福引論語讄

曰禱尔于上下神祇或作誄讄通作誄誄說文謚也耒田器鸓蠝猵猵鼺鼺說文鼠形飛走且乳之鳥也一曰以

其鬚飛或作蠝猵猵𡐊籒作鼺亦書作鸓猚蜼獸名似狖卬鼻長尾或从虫傫姓也春秋傳飲之無傫氏䉂簝法也一曰法可以絫

网人心李舟說或从絫攂魁攂喪家之樂○唯愈水切說文諾也文十九鷕雉鳴孈愚而多態蜼獸名爾雅蜼卬鼻而長尾

踓趡走皃或从走壝埒也遺濆遺魚行相隨皃一曰魚盛謂之遺一曰水流皃一曰膏液鰖䲛魚始

生者或作䲛䲛蓶說文萊也一曰似馬韭而黃沇沇溶水流潤谷中撌擴博雅棄也或作擴瘣創裂一曰病也

扰揣也動也遺饋也𧏱蟲名似蜥易有文○瞶虎癸切恚視也文二婎姿婎自縱皃○癸䂓頸誄切說文冬

時水土平可揆度也一曰北方之日古作𥝌文三湀水通流○揆巨癸切說文葵也一曰度也文六楑說文木也一曰度也⿰忄癸
⿰忄癸⿰忄癸竦悖也嫢好也小也一曰秦人謂細而有容曰嫢湀說文湀辟深水處也揆獷悍也○歖歖隱几切歖歔驢鳴或
省文二○唏許几切博雅笑也一曰哀而不泣文五⿰希鼻息也一曰卧息聲⿰韋鼻渧也⿰扌戠擊也⿰言希語也○几舉履切說
文踞几也象形周禮五几玉几雕几彤几髹几素几文十机說文木也⿰几阝說文地名⿰山几說文山名一曰女几山弱水所出⿸尸旨⿸尸包
赤鳥或作⿸尸包通作几麂鹿二歲曰麂⿸广几麂說文大麋也狗足或从几⿰犭几獸名兔喙而蛇尾○跽⿰月忌巨几切說文長
跪也或作⿰月忌文七邔山名𢀜踑說文長踞也或从足亦書作巷邔邑名在河南舁舉也○洧羽軌切說文水出潁
川陽城山東南入潁文五鮪魚名說文鮥也引周禮春獻王鮪一曰水名鞏縣西北臨河有周武山武王伐紂使毘華龔之鮪水上蓋其處也相傳山下有穴通
江穴有黃魚春則赴龍門故曰鮪岫今爲河所侵不知穴之所在痏說文疻痏也䵋黃色也侑祐也○巋苦軌切山小而衆曰巋一
曰高峻皃文六蘬艸名爾雅紅蘢古其大者蘬樻椐樻木名頯大朴皃莊子而頯頯峞峞巍山皃⿰歸見視皃○軌
衏边矩鮪切說文車徹也或作衏边文十九簋匭朹說文黍稷方器也古作匭朹通作㔳㔳匣也晷說文日景

也宄⿱宄心⿱九又說文姦也外爲盜内爲宄古作⿱宄心⿱九又⿰女盧竦身也厬⿰氵厬⿰氵軌氿說文仄出泉也或作⿰氵厬⿰氵軌氿
氿說文水厓枯土也引爾雅水醮曰氿⿱艹軌香艸頯𦞤屬中央廣而兩耑銳者○鄙補美切說文五酇爲鄙文十三啚啚
說文嗇也古作啚通作鄙娝姓也肥薄也列子口所偏肥通作鄙⿸疒啚痞腸中結病或作痞仳離也秕粃穀不
成者或从米沘水名北至壽春駓獸趨行皃否惡也○嚭𡁫普鄙切說文大也引春秋傳吳有太宰嚭或从丕文十六
秠⿰禾否黑黍也爾雅秠一稃二米或从否疕創也庀壞也⿰比攵⿰比皮方言南楚謂器破而未離曰⿰比攵或从皮岯伾
山名或从人仳說文別也引詩有女仳離⿸广比比庀具也或作比庀⿰言比⿰言匕言具也或省○否部鄙切塞也文
十八痞說文痛也仳離也⿰比攵齊楚謂璺曰⿰比攵⿰巾比幣裂也圮⿰酉非說文毀也引虞書方命圮族或作⿰酉非嶏說文崩也
豾獸名貒也方言北燕朝鮮之閒謂之豾苤艸木枯落⿰女孚⿰女殳餓死或作殍岯⿰飠丕坯伾山一成曰岯或
作⿰飠丕坯伾⿰丕瓦瓶也駓駓騃獸行也○美母鄙切說文甘也从羊从大羊在六畜主給膳也美與善同意文九媺善也通作美
媄說文色好也渼水名在京兆一曰水波⿱艹美艸名⿱美牛獸名似牛⿰美寐孰寐也眯物入目病敏疾也○

媺色好也渼水名在京兆美 [illegible]

[illegible]

韻上聲 [illegible] 十三 共

[illegible]

匕補履切說文相與比敘也匕亦所以用比取飯一名柶文二十四 比夶並也古作夶 帊說文憏裂也 妣𡚱說文
殁母也籀省 祉礼說文以豚祠司命引漢律祠祉司命或省 枇朼所以載牲體或省通作匕 秕粃秄說文不成粟也或从
米亦省 酏酏酒名或省 沘水名在廬江灊縣 疕說文瘍也一曰頭痛也 髀䟆說文股也或从足 潎以水
潎物 魮魚名尾有毒 紕說文氐人𦃇也 芘艸名 牝獸雌者牝 ○牝並履切畜母文三 螕小蛤 豼獸名似豕
○柹側几切削木餘也詩傳許許柹皃文二 緇黑色 ○蓷丑水切山皃文一 ○岂藝蓷切山皃文一 ○郈巨軌
切山名文一 ○沝之誄切閩人謂水曰沝文一
六 ○止諸市切說文下基也象艸木出有址故以止為足一曰已也文十五 趾足也 阯址說文基也或从土 沚
洔說文小渚曰沚引詩于沼于沚或从寺 畤說文天地五帝所基址祭地右扶風有五畤好畤鄜畤皆黃帝時祭一曰秦文公立也 杫板施
於礎上柱下者 芷香艸 茝艸名麋蕪也 祉福也 砋擣繒石太玄輚于砋砋石一曰礪石 𥬀竹名 訨許也 淽水名
一曰原名霸陵在其上 ○齒𠚕𦥒醜止切說文口斷骨也一曰年也列也古作𠚕𦥒文六 𦺇馬𦺇艸名 𥿋績苧一𥿋謂之
𥿋 茝艸名 ○始乨𠁣首止切說文女之初也古作乨𠁣文五 𦯬艸名 ○市上止切說文買賣所之也
文九 恃𢗠說文賴也或从市 畤田際也一曰平畤地名 沶縣名 洔溡水中小渚也一曰水暫益未減曰洔或从時
鈰劒名 𥬝竹名出南方荒中長百丈圍三丈 ○耳忍止切說文主聽也一曰語已詞文八 洱山海經水名在罷谷山 𦀖
𦀖𦀖鬱蔵皃通作耳 駬騄駬馬名 珥耳璫 䶊䶊䶊鼠屬一說鼠形如獸 餌米餅 栮木耎 ○滓壯仕切說文澱也文十一
笫說文牀簀也 𩚃胏脺胏說文食所遺也引易噬乾𩚃楊雄說𩚃从𠂔或作脺胏 瘁說文瘕也 莘荢
說文羙菜也或作芓 批戟撮也 朿止也 ○剚測紀切博雅剚也或作𠜾剚文六 𤕦𤕦𤕦齸也
或作𤕦𤕦 ○史爽士切說文記事者也亦姓文八 𢓡𧳅獸名似犬或从豕 使𡴠說文令也古作𡴠 𣳾水名在河
南 駛疾也 𪚍香之美者謂之𪚍 ○士上史切說文事也數始於一終於十从一从十孔子曰推十合一為士亦姓文六 仕說文
學也 柹說文赤實果俗作柹非是 戺爾雅落時謂之戺一曰砌也或書作阯 鄦鄉名在密縣通作士 事從所務也 ○俟牀史
切說文大也引詩伾伾俟俟文十四 竢𥻏𥩚俟庡㢞逘㕲說文待也引詩不竢不來或作𥻏𥩚俟庡㢞逘

㞾通作俟騃獸行皃原履也方言西南梁益之間謂之原涘說文水厓也引周書王出涘㹃牛一歲謂之㹃䃳石墮聲
○枲𦃠想止切說文麻也籒作𦃠文十五葈葈胡葈艸名枲耳也或作葈葸博雅愼也一曰貿懃皃簑葸篣竹名
一枝百葉有毒如堇𥱼竹篾崽博雅子也諰說文思之意也一曰直言也愢謙也𠪚說文石利也𢓭偲不安也或
从人笥竹器𨛔漢侯國名○子𢀈𢀓祖似切說文十一月陽氣動萬物滋入以爲偁象形古作𢀈𢀓文十七仔仔肩
克也虸虸蚄蟲名害稼秄耔芓說文壅禾本或从耒从艸梓榟木名說文楸也或从宰杍治木器曰杍通作梓
吇吇吇鳥聲𣎴說文止也从𣎵盛而一橫止之也阷地名釨鋅剛也或作鋅𡥥縣名在犍爲一曰𡥥腸○
佀似以㠯象齒切說文象也或作似亦省古作㠯文三十四巳說文巳也四月陽氣巳出陰氣巳藏萬物見成文章故巳爲蛇象形
祀𥙏禩祠禩說文祭無巳也或从巳从異从司古作禩娰姒爾雅娣婦謂長婦爲姒婦亦姓古作娰
梠梩耜𦓤杞𣏞田器說文臿也一曰徒土輂齊人語或作梩耜𦓤杞𣏞鈶矛屬𨦼𨥁博雅𨦼鈶
鋌也或作鈀攺毅攺大剛卯也佁至也呂氏春秋佁儗之機高誘讀汜說文水別復入水也一曰汜窮瀆也引詩江有汜洍

說文水也引詩江有洍或从以𪊶鹿二歲名邔國名𤭛甄瓵甂也枱𦓤耒耑或作𦓤通作鈶圮東楚謂橋曰圮
苢苡薏苢艸名一說禹母吞薏苢而生禹故以爲姓或作苡○徵展里切宮音所生也亦姓文六𦼫艸名紫茢也𣬚獸毛
多曰𣬚敳茈也壬謚也𢹇刺也○恥誀丑里切說文辱也或作誀文四祉說文福也蚔蟲伸行或書作蚩
○峙偫文里切爾雅偫峙具也或作偫文十九跱峙跱踞行不進也或作峙䝿𧶠畜財也或作𧶠恃心不
明庤畤說文儲置屋下也或从田植持也待說文待也洔說文水暫益且止未減也痔說文後病也秲稻名
塒鑿垣棲雞也㴓水名出魯山騃獸行皃畤祭處峙山獨立皃通作峙○里兩耳切說文居也文十五
理說文治玉也一曰正也文也𨛔𨸹說文南陽西鄂亭或从阜俚說文聊也一曰下俚或曰南夷種名娌妯娌娣姒婦也
悝憂也㾖爾雅病也裏說文衣內也艃艥艃舟名李說文果也亦姓古書作杍鯉𩸍魚名說文鱣也或从裏
梩臿也一曰輂也𨤤地名○㠯以養里切說文用也从反巳賈侍中說巳意巳實也象形或作以文十四巳止也佁
癡也攺毅攺大剛卯也苢苡艸名說文芣苢一名馬舄其實如李令人宜子周書所說或从以𠪚石利也笖筍也𤝻

集韻

十五

獠姓 汜 洍水決復入或作洍 㚖張羅皃 㞒踞也 ○矣羽已切說文語已詞也文八 唉譍辭 ⿱艹矣艸名蒿也

俟大也 㑆哭餘聲 悠說文痛聲 歖歖欸驟鳴 騃獸行皃通作俟 ○喜許已切說文樂也或从欠 歖 憘

从心文九 訢喜也 唏方言痛也一曰笑聲 蟢蟢子蟲名蠨蛸也 ⿰身希臥息 暿盛皃一曰熱也 嬉末嬉夏桀妃字 ○

起 ⿺辶己口已切說文能立也亦姓古从辵文十六 屺 峐說文山無艸木也引詩陟彼屺兮或作峐亦書作岂 ⿱山⿱己心山高皃 玘

說文玉也 邔縣名在南郡 杞 梩木名說文枸杞也一曰國名亦姓或作梩 芑說文白苗嘉穀 巳姓也 ⿱艹起藥艸可治金瘍

⿰禾己禾名管子其種穋⿰禾己 ⿱竹己簟也 㠱古國名衛宏說與杞同 萁艸名馬啖之則馴通作芑 ○己 王苟起切說文中宮也

象萬物辟藏詘形也古作王文八 邔說文南陽縣 紀說文絲別也又國名亦姓 妀說文女子也 㠯言也平也 攺更也

⿱丞己儆也身所承也 ○擬 㣼 譺 疑偶起切說文度也或从心从言亦作疑文十三 儗說文僭也一曰相疑 薿

⿰禾疑說文茂也引詩黍稷薿薿或从禾 孴 𦤹 孖說文盛皃一曰若存籀作𦤹或作孖 ⿰口疑聲也 ⿱疑言博雅調也一曰詒也或書

作譺 騃馬行皃 ○譩隱已切恨辭文五 醫 醷 臆和醴酏為飲也或作醷臆 噫嘆聲 ○芑巨已切白苗也

詩維糜維芑徐邈讀文二 忌戒也 ○伱乃里切汝也文一 ○弟蕩以切次也悌也文一 ○禮隣以切體也履也文二

醴濁酒 ○體天以切四支也文三 涕目汁 緹赤色 ○啓詰以切開也文一 ○薺茨以切艸名文一 ○

潎鋪市切水擊絮也文一

七 ○⿸尸毛 尾 ⿸尸兇武斐切說文微也从到毛在尸後古人或飾系尾西南夷亦然又姓或作尾古作⿸尸兇十八 浘浘潤海洩一曰水流

皃一曰泉底 娓說文順也一曰美也 ⿰赤尾赤色 荱艸名 ⿰食尾食餘 ⿰風尾⿰風尾⿰風尾風偃物 亹 斖亹亹勉也或从文通作娓

虋艸名一曰赤粱 ⿸尸采 ⿰禾尾廣雅鑪也或作梶亦書作⿰禾尾 ⿰山尾山名 ⿱竹尾竹名 ⿰石尾砡⿰石尾磨也 梶樹杪 ○斐妃尾

切說文分別文也引易君子豹變其文斐也文十五 ⿱非隹說文別也一曰鳥名似梟 悱 ⿰忄匪心欲也或从匪 朏說文月未盛之明引周書丙午

朏古作胡 菲艸名說文芴也一曰薄也 ⿰馬斐馬名 俷背也史記燕主策曰無俷德 蕜博雅悵也 ⿱艹棐方言猝也 誹 非

說文謗也或省 痱鬼痛病 ⿰禾非禾穗皃 棐棐林地名 ○匪 ⿰糸匪府尾切說文器似竹篋引逸周書實玄黃于匪或作⿰糸匪通作篚

匪一曰非也文十九 篚說文車笭也 棐說文輔也 榧木名有實出東陽諸郡 餥說文餱也陳楚之間相謁食麥飯曰餥 蜰

蟲名爾雅蜚蠦蜰 棐方言猝也 𧕫蜚蟲名負蠜也或从虫 𡋯塵也 斐文章皃 𦓡說文兩壁耕也一曰覆耕種也

誹謗也 䠊刖也 𪀾鳥名山梟也 䅏稻名 𩇧賤事也 悱心欲也 ○膹父尾切膗也文十 𥝮稻紫

菲不黏者 橨𦪈舟邊也或作𦪈 蟦蠐螬也 陫𨻐陋也或从匪 錍小丁也 𡋯塵也 俷薄也 ○豨

狶許豈切說文豕走豨豨古有封豨脩虵之害或作狶文七 唏說文笑也一曰哀痛不泣曰唏 誒誒誒語也 俙僾俙仿佛也 𩘊

卧息 𩄈雲皃 ○豈去幾切說文還師振旅樂也一曰欲也登也非也文二 䔇說文菜之美者雲夢之䔇 ○蟣𧕻蟻

舉豈切說文蝨之子一曰齊謂蛭曰蟣或作𧕻蟻文九 幾𢇓且數古作𢇓 機說文禾機也 鬾南方之鬼曰鬾一說吳人曰鬼越人

曰鬾 𧗽血祭謂之𧗽 𨡳酒浮也 ○扆隱豈切說文戶牖之間謂之扆通作依文十一 依譬諭也 扆扆廣雅

扆隱翳也或作扆 悘偯說文痛聲也引孝經哭不偯或作悘 僾僾俙仿佛也 𨈆歸也从反身 靉靉靆雲皃 陜陵名

硋石聲 ○顗語豈切說文謹莊皃文三 螘蟻蟲名蚍蜉也或作蟻 ○韙羽鬼切說文是也引春秋傳犯五不韙籀通作愇文

三十二 愇恨也 偉彙說文奇也一曰美也或作彙 煒說文盛赤也引詩彤管有煒 暐光盛皃 韡韡說文

盛也引詩鄂不韡韡或从革 𩏊說文木也可屈為杅者 葦艸名說文大葭也通作葦 瑋廣雅瑰瑋琦瑰也一曰美玉 鍏臿也

媁美姿 褘重衣皃 緯束也 颹大風謂之颹 偉行皃 揮違追也 喡呼聲 崴嵔㟪山皃

或作嵔亦省或書作㟪 𥳑篚也 渨渨溫水波涌起皃 𦍬𦍬𦍬羊相逐皃一曰羝也 䫥鬼也 𤸁弱病 犩牛名 嵬

嵬山險也或作嵬 磈碨石皃或从鬼 ○虫詡鬼切蟲屬說文一名蝮博三寸首大如擘指象其卧形物之微細或行或毛或介或鱗

以虫為象通作虺文十四 虺蟲名說文虺以注鳴引詩胡為虺蜥 䨚蘬䨻闕人名仲虺湯左相或作蘬䨻通作虺 𩃬雷聲

煋燬說文火也引詩王室如燬引春秋傳衛侯燬一曰楚人曰燬或作煋 娓美也 𩿑卧息 卉說文艸之總名 𤜣獸名

溾泋水流皃或从卉 ○鬼䰟矩偉切說文人所歸為鬼从人由象鬼頭鬼陰氣賊害从厶或从示鬼一曰遠也慧也文四 愧

博雅愧幃絭也 磈石皃 ○嶊子尾切山曲也文二 嗺鳥喙 ○隹諸鬼切山皃莊子山林之畏隹李軌讀文一 ○恢苦虺

切大也一曰恢恑譎怪文一 ○壘良斐切山皃文一 ○傀魚鬼切傀然意不安定皃文五 捲懸也 嵬巋山高皃或作巋

碨石皃 ○壝欲鬼切起土為埒也文一

艸浮水中文六 苴相依也 咀咬咀謂商量斟酌之一曰含味 䃊硨䃊䃊也 疽瘦疽痒病 蒩茅藉祭也通作苴 ○敘
象吕切說文次弟也通作序文二十六 序阝予土予說文東西牆也或作阝予土予 緒說文絲耑也 𡰱屖說文䆃屬或从夊 鱮
抒挹也 芧柔木名栩也或作柔 藇醾美也詩與酒有藇或作醾 漵澳水名或从與 嶼山在水中 鱮
魣說文魚名或作魣 䴘獸名 𧳜矛屬 沮敗也 蝑蟲名爾雅蝑蜙蝑郭璞讀 埒博雅反坫謂之埒 伃方言
豐人楚謂之伃 汿潚也 杼山海經芹山有堪杼之魚狀如夸父而彘尾一曰魚子 杍姓也 ○咀在吕切說文含味也文十 沮
止也壞也一曰丘名水出其後 怚驕也 趄邪進也 祖說文事好也一曰祖厲縣名 跙跙跙行不進 蝑蟲名方言春黍謂之
蝑蝑 齟嚼也 苴相依也 珇王文 ○所爽阻切說文伐木聲也引詩伐木所所一曰處也亦姓古作𠩄文十一 齭
齭齒傷酢也或从胥 疋足也 盨擔盨負戴器 糈博雅饊也俗作糈非是 貝疋賲說文齎財卜問為貝疋或从胥 數
目物 蔬粒也 ○阻壯所切說文險也 岨也或从山文九 詛呪也 俎柤爼說文禮俎也从半肉在且上或从木
从爿 齟齟齬齒不正 跙馬傷足病 沮止也一曰沮陽縣名在上谷 ○楚𠕒所切說文叢木一名荊也一曰國名亦姓文十

𪓰說文合五采鮮色引詩衣裳𪓰𪓰 䙘美兒 齭齼說文齒傷酢也或从楚 礎楹石 憷𤻬痛也或从疒
濋水名 𨽽阪也 ○齟齬壯所切齟齬相值或从虘文六 岨岨峿山形 鉏鋤鉏鋙相距兒或从助 跙
跙跙行不進 ○暑賞吕切說文熱也文七 鼠說文穴蟲之總名 黍說文禾屬而黏者以大暑而種故謂之黍孔子曰黍可為酒禾入水
也 蝚𧐍蟲名博雅蝜蝂蟠蝚一曰蝚蝜或从鼠亦書作蚤 癙憂病通作鼠 瘏睹疾 ○鬻𩱢𩰲鬻
掌與切說文亨也或从火从水在其中亦省文九 渚說文水出常山中丘逢山東入湡 陼爾雅小洲曰陼通作渚 𧓍惡蟲名 庶
驅除毒蟲之言周禮有庶氏 羜五月生羔 ○杵敞吕切說文舂杵也文三 処處說文止也得几而止或从虍 ○墅
野上與切田廬也或省文八 𪐴黑也 紓緩也 杼芧木名栩也或作芧亦書作柔 抒說文挹也一曰除也 桃抒物
之器 ○汝忍與切說文水名出弘農盧氏還歸山東入淮文八 女爾也通作汝 𥥸楚人謂寐曰𥥸 䋈䋈黏也 籹
䋈蜜餌或作䋈 肗魚敗曰鮑肉敗曰肗 茹飤也貪也一曰菜茹 ○貯䝬著展吕切積也或作䝬著通作褚文二十一
褚囊也 衿敝衣 忙𢠵覆棺衣或从著 𦈡𦈢說文幗也所以載盛米从宁从甾甾缶也或从缶 眝說文長眙也一

曰張目 忬許 博雅䛐也或从言 楮杼 木名穀也或作杼 蛴 蟲名 宁 門屏閒曰宁 柱 支也 紵 縈之

粗者史記用紵絮斮陳 焧 熏也 柔 木名栩也或書作杼 垿 積壓也 ○ 楮杼 丑呂切說文穀也或从宁文四 褚 說文

卒也一曰製衣亦姓 栩 木名柞也 ○ 宁 丈呂切說文辨積物也文二十四 盬宝 說文器也或省 佇竚 久立或作竚

躇𡁒 躊躇進退皃或从止 貯 張目也 垿 積壓 芧苧 說文艸也可以爲繩或从宁 紵䋚 說文絲屬

細者爲絟粗者爲紵或从者省 泞 澄也 抒 挹也除也 柔 木名說文栩也通作杼 杼竽 說文機之持緯者或从竹 羜 說文

五月生羔 忬 智也 予 闕夏帝名通作杼 著 門屏間也通作宁 竚 進皃 杼 木名梧桐也 ○ 呂膂 兩舉切說文

脊骨也昔太嶽爲禹心呂之臣封呂侯或从肉旅一曰呂陰律亦姓文二十六 旅𣃨衣 說文軍之五百人爲旅亦姓古作𣃨衣 祣

祭名或作𧜖 侶 儷也 儢嫭 儢儢不欲爲也或从女 启 闕人名晉有大夫启 怊 慢也 郘 亭名 痦 久病

絽 廣雅紩也 梠 說文楣也 櫖栌 木名中箭笴或省 穭稆 禾自生或从吕通作旅 簇筥箘

飯器或作筥箘 㛖嫁 醜皃或作嫁 膐 細切肉也 ○ 女㚢 碾與切說文婦人也象形王育說古作㚢文五 籹粈

粔籹餌也或从如 𥻙 黏也 ○ 與与舁𦥚 演女切說文黨與也古作舁𦥚文二十 与 說文賜予也一勺爲与通作與予

予 說文推與也象相予之形 伃𠇮 大也安也或从与 㞒 履也 𧼈 說文安行也 歟 歎也 惥𢘧 說文趣步

惥惥或作𢘧亦書作懙 嬩 女字 醧 美也通作萸 穥藇 苗盛也或从艸 野 郊外曰野 輿 闕人名春秋傳楚有闔輿罷

𠍱 謹也倚也 𦢝 肥也

九 ○ 噳麌麌麌 五矩切說文麋鹿羣口相聚皃引詩麀鹿噳噳或作麌𪊊麌文八 俁偊 說文大也引詩碩人俁俁或作偊

鯃 魚名 𠹭 欲笑皃 喁 噞喁魚口聚皃 ○ 傴㾢瘟 委羽切說文僂也或作㾢瘟文十 噢 痛聲噢咻 迂

曲皃 鰸 魚名 嫗 以氣曰煦以體曰嫗 僂 手病春秋傳曹公子手僂 䙁 編枲衣 竘 健也匠也 ○ 詡 火羽切說文大

言也一曰徧也和也文二十 冔𠷣 商冠名或作𠷣 昫 日出溫也 欨煦呴 吹也或作呴亦省 咻休 噢咻

痛聲 煦 烝也一曰溫潤 姁 說文嫗也一曰佚樂謂之姁 膴 博雅脯也一曰膴肉大臠 祤 祋祤縣名在馮翊 𨹔 博雅離也

一曰縣名在安邑 珝 玉名 栩 木名說文柔也其皂一曰樣 訏 訏訏大也 憮 媚好也孟康說一曰傲也 蛡 蜂房也太玄蠮其翃

一曰蟲飛憮覆也○䄨齲顆羽切說文齒蠹也或从齒文九踽說文疏行皃引詩獨行踽踽𧻓跔行皃或作跔

竘說文健也一曰匠也逸周書有竘匠曲曲遇地名𪗾說文𪗾腫也噢噢咻痛聲○矩榘果羽切法也或作榘文二

十七聥博雅驚也一曰張耳有所聞䁌𥅴驚視皃或作𥅴踽獨行也䫢目衺也翑鳥曲翑○稶說文積稶

也一曰木名徐鍇曰積稶不伸之意楀木名椇枳椇木名曰白石李一曰俎足曲而下枸說文木也可為醬出蜀一曰枸木餡善釀酒

蒟說文果也一曰蒟蒻似芋可食萬艸也亦姓漢有萬章岣岣嶁山名鄅國名在琅邪拒方陳也史記攻其前拒裵駰說

豿爾雅豕後足皆白豿通作翑拘拘澗水名東南至邯鄲入白渠𢭏禑姓也詩𢭏維師氏或从示通作萬竘健也柜

山海經方山有青樹名曰柜格之松齲齒蠹病鱹魚名篱篱簍規車輞則也苟艸名○窶郡羽切說文無禮居也一曰貧

寠文七痀痀僂身曲病簍篱簍規車輞則也貗獸名爾雅貗子貗蔞蔞艸名一曰木耳或省樻樻須負戴器

○羽王矩切說文鳥長毛也一說北方之音文二十七禹禹說文蟲也从厹象形古作禹禹一曰夏王之號亦姓偊偊偊

行皃頨說文頭妍也聥說文張耳有所聞也雨甬冈㒳說文水從雲下也一象天冂象雲水霝其間也古作冈㒳

𩂐說文雨皃方語也宇寓𢇛庽說文屋邊也引易上棟下宇籀从禹或並从广鄅說文妘姓之國引春秋傳鄅人籍稻

𨚖說文南陽舞陰亭祤祋祤縣名在馮翊瑀說文石之似玉者栩木名柞也一曰栩陽地名楀說文木也萭說文

艸也亦姓芋芋尹楚官名迂遠也春秋傳不迂其文𩂣說文水音也通作羽䒿艸名○撫斐父切說文安也一

曰循也或作𨑫文二十一拊樂器也實以糠一曰楅柎楮中方木鳺鳥名㕮㕮咀嚼也拊說文揗也㪔說文撫也弣弓把

中也通作柎拊婄白也紨𦃄說文治敝絮也或从撫省俌說文輔也剖判也𧼞韵健也或作韵

䯱𩬸髮好也或作𩬸剖剖蔀艸名魚薺也尃本也拂也𪔐軍鼓聲喧也嘸不精明也○甫父匪父

切說文男子美稱也从父用或作父甫一曰大也始也亦國名文三十二府說文文書藏也一曰聚也公卿牧守稱府道德之所聚幣藏稱府財物之所聚亦姓

頫俛俯說文低頭也太史卜書頫仰也如此揚雄曰人面頫或作俛俯㾈說文俛病也一曰短也俌輔也腑人之六腑

通作府脯說文乾肉也黼𪓊說文白與黑相次文或作𪓊簠𥮞医說文黍稷圜器也古作𥮞医斧

鈇說文斫也或作鈇䰳北斗星名𧉝蟲名食瓜者通作父蚥去蚥蟲名蟾諸也蜅蟹蜅屬鯆大魚也𥒅𥒅磄

磓也郙說文汝南上蔡亭莆艸名說文蓮莆也㕮哺㕮咀嚼也或从甫𩪓博雅骭也駁牡馬騔鬐也

捬拊也怤思也○父𠂔奉甫切說文矩也家長率教者古作𠂔文三十二㕮㕮咀嚼也輔頫軗

酺說文人頰車也或作頫軗酺亦姓鬴鬴釜釜說文鍑屬或作鬴釜隷省滏水名在鄴腐𦙚說文爛也

或从火痡痛博雅病也或从甫稫䄮博雅穮稫穧也或从尃䲝鳥名鵏屬蚥蟲名爾雅不蜩王蚥一曰去蚥

蟾諸駁牡馬蚥瓜中小蟲也通作父俌補助也古作補通作輔蜅蠏也鴔鳺鵏鳥名越父也或作鳺鵏

焙物敗生白曰焙䰌髮謂之䰌岎山名𨍫憪也○武罔甫切說文楚莊王曰夫武定功戢兵故止戈為武文四十七䟮

𨓴𨙂博雅跡也或作𨙂𨓴𨙂通作武舞僁翌說文樂也用足相背或从人古作翌侮伕侮侮

娬務說文傷也一曰慢也古作伕侮侮或作娬務嫵娬說文媚也或从武憮失意皃憮說文愛也韓鄭曰憮一曰

不動一曰傲也憮說文撫也一曰愛也瞴微視瞴美也詩周原瞴瞴廡𢋘庑說文堂下周屋籀从舞或作庑𣞤

𣞤說文豐也从林𠓜或說規模字从大卌數之積也林者木之多也卌與庶同意引商書庶艸繁蕪或作蕪通作庶𦋹𦊃說文䍢中网也或从

無𦋺雉罔𦩡舟謂之𦩡墲墓域也敄彊也潕𣿅說文水出南陽舞陰東入潁或从舞碔珷磃碔砆石似玉或作珷磃

甒𤮻瓬方言罃周魏之間謂之甒或从廡武陚平原鴞鵡母鳥名說文鸚䳇也或从武亦省

嘸嘸然陽應也譕詐詞㔩刀室𤭰瓦器○𦁗䌌聚取切說文紑前兩足也漢令蠻夷卒有頌或省文六數

數數猶汲汲也縷縷方言所以縣帶東齊海岱之間謂之縷或省盨說文檳盨負戴器也○取此主切說文捕取也周禮獲者取左耳引

司馬法載獻聝聝者耳也文二娶取婦也○聚在庾切會也文三郰亭名在新豐鄹民所聚居○數爽主切說文計

也文五籔藪聘禮十六斗曰籔或从艸狗羽曲盨檳盨負戴器通作籔藪○主炷腫庾切說文鐙中火主也或作

炷主一曰君也掌也文十宔砫祩說文宗廟宔祏或从石从示枓斗說文勺也或省麈說文麋屬哇呼雞聲

罜說文罜麗魚罟也○豎竪僼上主切說文豎立也籀从殳或从人俗作竪非是文九裋𧞤方言襜褕自關而西

其短者謂之裋褕或从豎樹扶樹也尌侸說文立也或作侸壴陳樂立而上見○貗𧳜撰禹切牝豕或省文二

○乳蘂主切說文人及鳥生子曰乳獸曰產从孚从乚乚者玄鳥也明堂月令玄鳥至之日祠于高禖以請子故乳从乚請子必以乚至之日者乚春分來秋

分去開生之候鳥帝少昊司分之官也文四 擩 說文染也周禮六曰擩祭 醹乳 說文酒厚也引詩酒醴惟醹或作乳 ○ ▲ 黈

冢庚切說文有所絕止而識之也亦姓或作黈文六 拄 掌也通作柱 柱 艸名爾雅柱夫搖車 哇 口不正 壴 陳樂立而上見 ○

柱 重主切說文楹也文八 笙 樦 樂也所以調絃或从木 ⿱山柱 山名 ⿰主龜 鳥⿰主龜龜名 跓 停足 ⿰身主 ⿰月主 身直兒或

从肉 ○ 縷 隴主切說文綫也文十九 褸 說文衽也 僂 ⿰身婁 說文尪也周公韤僂或言背僂亦从身 慺 姓也 謱 謰謱委曲

也 寠 卷寠猶拘攣也一曰空也 ⿰阝婁 贏⿰阝婁縣名 嶁 岣嶁衡山也或書作寠 漊 說文雨漊漊也一曰汝南謂飲酒習之不醉爲漊

簍 博雅畚也一曰竹籠 蔞 艸名一曰萬蔞正輪者 ⿱艹縷 艸名爾雅蔽菝⿱艹縷今之蘩蔞一曰雞腸 茜 艸名香蔽也 鷜 鷜鵝鳥名郭公

也 藪 寠藪帶器 ⿱雨婁 雨兒 覰 視也 ⿰女婁 婦無廉也 ○ 庾 ⿸广俞 匬 勇主切說文水漕倉也一曰倉無屋者亦姓或作⿸广俞

匬文二十五 斞 斔 匬 說文量也引周禮桼三斞或作斔匬 扰 剌也 愈 勝也通作俞 瘉 癒 說文病瘳也或作癒

通作愈 瘐 漢律囚以飢寒而死曰瘐 㥚 懼也 㼌 說文本不勝末微弱也 窳 窐 說文汙窬也朔方有窳渾縣或作窐 ⿱艹庾

萸 薛萸艸名或从史通作庾 楰 木名鼠梓也 貐 獸名說文貏貐似貙虎爪食人迅走 俞 俞俞容兒和恭也 踰 越也史記無以

踰人司馬正說通作⿸广俞 篗 玄竹也 腴 腹下肥 萮 萮茈木耳 窳 嬾也史記呰窳偷生 ○ 檽 尼主切木名可染文三

擩 拄也 醹 厚酒

十 ○ 姥 滿補切女老稱亦姓文十六 娒 姆 女師也或省 馬 馬也 媽 博雅母也一曰牝馬 慔 愛也或書作惎

罞 罔也 峔 山名在丹陽 茻 宿艸 莽 犬逐兔艸中 ⿰忄莽 ⿰忄莽惱心惑 ⿰言莽 ⿰言莽謅言不足 ⿰金莽 鈷⿰金莽溫器 牡 畜雄曰牡

瞴 微視 憮 失意兒 ○ 暜 普 頗五切說文日無色也亦姓隸作普文七 溥 說文大也通作普 誧 人相助也一曰謀也

浦 說文瀕也 ⿰火甫 火兒 潽 水也 ○ 補 ⿰糸甫 ⿰甫攵 ⿰纟甫 彼五切說文完衣也一曰數也十兆曰經十經曰垓十垓曰補或作

⿰糸甫⿰甫攵古作補文十三 諩 譜 說文籍錄也或省 圃 甫 ⿴囗⿱父甫 說文種菜曰圃或省亦作⿴囗⿱父甫 黼 白黑文也詩玄衮及黼徐邈讀

⿰土尃 闕人名衛有石⿰土尃 ⿰火甫 火兒 鯆 魚名 ○ 簿 伴姥切籍也笏也文十 ⿱艹溥 菡薄艸也 部 分也總也 蔀 蔀蔀艸名

一曰部明物 篰 竹器 溥 塗也 ⿰革薄 ⿰韋薄 ⿰革甫 靯⿰革薄車茵或从韋亦作⿰革甫 蒲 艸名生水中 ○ 蔖 州五切艸名可

作履一曰艸死曰蔖文六 皻 ⿰且皮 博雅皻皷皻也或省 ⿱艹麤 艸履 鐯 博雅鉏謂之鐯 縒 縒色鮮兒 ○ 祖 租 揔古

切說文始廟也亦姓古作祖文十 珇說文琮玉之緣一曰美也 靻馬鞁也 組說文綬屬其小者以爲冕纓 葅說文菜也 苴

蒩藉也或作蒩 伹淺也 作造也 ○ 粗麆麤坐五切說文疏也或作麤麆通作犓文九 蔖艸名可爲履

駔會也一曰駿馬名 伹廣雅鈍也 觕牛角直皃 𧯷大也通作麤麆 𥉌閉目思也 ○ 睹覩董五切說文見也古

从見文十八 𥇑闕亾督梁公子名 暏說文旦明也 賭䝻博雅取財或从度 肚胃也 堵𩏂𩏂

陼說文垣也五版爲一堵籒从𩫏或作𩫖陼亦姓 居美石 楮木名 皵桑皮也 𢢔博雅𢢔也 杜姓也楚有杜敖劉伯莊讀

𤥭玉名 者語辭 ○ 土統五切說文地之吐生物者也二象地之下地之中物出形也文六 靯鞴鞁也一曰車中薦 吐說文寫也

𨛫鄉名 稌沛國呼稻爲稌 芏艸名爾雅芏夫王生海邊似莞蔺越人以爲席 ○ 杜動五切說文甘棠也亦姓文十六 稌說文

稻也引周禮牛宜稌 荰荰衡香艸 土桑根也方言東齊謂根曰土通作杜 皵字林桑皮也 肚胃也 𩩲顱也 靯鞴鞁也一曰車

中薦 𢾺𠟼剫說文閉也或从刀古作剫 𪢌舍也 𡍴塞也 垷博雅𡒄垷也 𪂲鳩鶋鳥名通作杜 芏艸名

夫王也 ○ 魯𣁳籠五切說文鈍詞也引論語參也魯一曰國名亦姓古作𣁳文二十一 虜擄說文獲也或从手 𢱯博雅

強也一曰動搖 𢙇𢤯𢙇𢤯心惑或从虜 𧦝詸𧦝言不定 鹵滷塷澛說文西方鹹地也象鹽形安定有鹵縣東

方謂之㡿西方謂之鹵或从水从土亦作澛 𩦿驢也 𠧶匈匈伏地 嚕嚕嚕吳俗呼豬聲 虜𢋇說文庶也或作𢋇 磠

砂也 櫓樐㯭說文大盾也或从鹵从虜 桴木名可染 艣所以進船也通作樐 鐪鑥說文煎膠器一曰刀柄或

作鑥 䕡蓾說文艸也可以束或从鹵 䲐說文魚名出樂浪潘國 𥵰竹名 嚕語也 𧯷豆名 ○ 怒暖五切恚也文

六 弩說文弓有臂者引周禮四弩夾弩庾弩唐弩大弩 砮石可以爲矢鏃 努方言勉也 孥子也 蛪水蛪蟲名 ○ 虎

𧆞𢒈火五切說文山獸之君亦姓古作𧆞𢒈文十六 琥說文發兵瑞玉爲虎文引春秋傳賜子家雙琥一曰禮西方之玉 虝蟲名善捕

蠅 汻滸滹說文水厓也或作汻滹 𣸢𢨛舟中渫水器或作𢨛 䣜鄠說文地名或作鄠 萀豆屬

似狸豆而大 許許許柿皃 篪竹名高百丈 䨐北方謂雨曰䨐吕靜說 ○ 苦孔五切艸名說文大苦苓也一曰急也文三

𥮐笟竹名或省 ○ 古𦈢果五切說文故也从十口識前言者也古作𦈢文三十六 詁說文訓故言也引詩詁訓 鼔說文

擊鼓也 鼓𩏠𡔷𪔈說文郭也春分之音萬物郭皮甲而出故謂之鼓从壴支象其手擊之也古作𪔈籒从古或从革 瞽說文目但

有䐻也股胋骰說文髀也或从古从骨沽苦略也或作苦通作盬夃秦以市買多得爲夃賈𧵍說文
買市也一曰坐賈售或从古盬說文河東鹽池袤五十一里廣七里周百十六里盬䀇說文器也或作䀇蠱說文腹中蟲也引春
秋傳皿蟲爲蠱晦淫之所生也臬桀死之鬼亦爲蠱从蟲从皿皿物之用也罟說文网也鈷鈷鉧溫器牯牛名羖⿰羊古說文夏羊
牡曰羖或从古瀘水瀘蟲名兜兠說文廱蔽也从人象左右皆蔽形或作兠⿱山鼓山名楜楜斗射鼠器顧視也書我不顧
行遾徐邈讀鼓艸名爾雅莊一曰蘢鼓筶籤也估市稅酤一宿酒○戶𢨥後五切說文護也半門曰戶一曰止
也古从木文四十一怙⿰忄固說文恃也或作⿰忄固祜說文福也昈方言效昈文也一曰赤文婟好也嫴說文嫴鹵貪也
酤一宿酒扈屺⿰扈邑說文夏后同姓所封戰於甘者在鄠有扈谷甘亭亦姓古作屺或作⿰扈邑⿰扌扈抜扈不順理滬玄滬
水名洿水深謂之洿鄠說文右扶風縣名岵說文山有屮木也引詩陟彼岵兮⿰山扈山卑而大曰⿰山扈通作扈居說文
美石也⿰土扈⿰阝扈圻也或从阜⿸尸巾方言⿸尸巾媄謂之被巾滬扈杼水器或作扈簄取魚竹罔通作槴滬芐
芦艸名說文地黃也引禮鈃毛牛藿羊芐豕薇是或作芦楛說文木也引詩榛楛濟濟雇⿰雩鳥鳸說文九雇農桑候鳥扈民不婬

大二下小七上
者也春雇頒盾夏雇竊玄秋雇竊藍冬雇竊黃棘雇竊丹行雇唶唶宵雇嘖嘖桑雇竊脂老雇鷃也或从雩从鳥亦書作鳸鳸枯竹名通作楛羽緩也
周禮弓而羽閷末應將發⿱虍子闕人名莊子有子桑⿱虍子姱性不端良謂之嫭姱熩光也⿰王扈玉也槴藉書具一曰取魚具下
下也荼茅莠楉木名○隖塢⿰石烏埡於五切說文小障也一曰庳城也或从土从石亦作埡文十五嵨山名
鄔說文太原縣一曰周地名瑦說文石之似玉者⿰氵烏水名一曰水大皃⿰巾烏頭首巾謂之⿰巾烏或作頸⿰言亞⿰言惡說文
相毀也一曰畏⿰言亞或从惡⿰走烏說文走輕也⿰車烏博雅⿰車烏頭柳車也一曰車首⿸疒烏疾也○五⿻二乂乂阮古切說文五行也从二
陰陽在天地間交午也古作⿻二乂又文十伍說文相參伍也亦姓仵偶也或亦姓逜迕過也或作迕午說文啎也五月陰气
午逆陽冒地而出旿明也玝闕人名後蜀有李玝
十一○薺在禮切艸名文十三鮆鱭說文飲而不食刀魚也或从齊呰短也弱也霽濟雨止也洪
範曰雨曰霽或作濟齊齊齊恭慤皃⿱罒齊博雅盪也瘠癠方言江湘間凡物生而不長大曰瘠一曰病也隸作癠璾玉病
謂之璾穧穫也⿱髟韱鬞小而高爲⿱髟韱○洒洗小禮切說文滌也古爲灑埽字或作洗文三姺古國名○泚此禮切說

十一○薺

文清也文八 玼說文玉色鮮也引詩新臺有玼 緀紕帛文或从此 凄雲雨起皃 皉白也 批捽搣也 萋艸盛皃一曰恭順皃 ○濟泲子禮切說文水出常山房子贊皇山東入泜一曰齊也一曰州名亦姓古作泲文十三 泲說文沇也東入于海 ⿱罒齊莤酒也通作泲 癠短皃一曰生而不長 批博雅捽也 ⿰足祭走皃 枇木名 𠨍事之制也 秭禾五稯 霽爾雅雨霽謂之霽 訾博雅諀訾也 擠排也 ○米母禮切說文粟實也象禾實之形文十二 ⿱艹眯⿱艹眯薂艸名 眯說文艸入目中也或書作杲 ⿰糸米⿰黹米說文繡文如聚細米也古作⿰黹米 ⿱宀⿰爿米⿱穴⿰爿米說文寐而未厭或作⿱穴⿰爿米 洣水名在茶陵 ⿰女米米半壞 ⿰魚米魚名一曰魚子 ○濔瀰濔濔水流皃或从彌 ○頩普米切說文傾首也文九 俾睥俾倪邪視或从目 ⿰卑攴 捭說文毀也或从手 庀庇具也周禮庀其委積或作庇 ⿰忄坒慎也 壀壀垷陴也 ○陛坒部禮切說文升高階也或从土文十四 梐梐枑行馬也 髀⿰骨坒⿰骨比脾肶股也或作⿰骨坒⿰骨比脾肶 ⿰亻坒⿰亻坒傒行張足 ⿰虫坒字林小蛤也 ⿱艹庳茺屬 狴狴犴獄名 坒相連也 ⿰牛坒⿰牛皆⿰牛坒牛馬行 ○邸⿸广邸典禮切說文屬國舍也或作⿸广邸亦姓文三十二 氐說文至也从氐下箸一一地也一曰星名 疷病也 奃大也 底說文山居也一曰下也 柢說文木根也 堤說文滯也 ⿰耳至不聽也一曰耳病 詆呧說文苛也或从口 袛袛裯短衣 抵扺說文擠也或作扺 牴觝說文觸也或从角 ⿰氐攴博雅隱也 軧軝說文大車後也或从底 ⿰舟氐⿰舟氐艣舟名 弤弓名 菧艸名爾雅茋葴茋 提絕也一曰史記以冒絮提文帝蕭該讀 砥厲石之尤細者 趆說文趨也 迡說文怒不進也 阺坻說文秦謂陵阪曰阺或从土 ⿰犭氐犬名 骶臀也 ⿱罒氐罘也 ⿰木底樀也 ○體軆土禮切說文總十二屬也或从身俗作躰非是文十三 涕說文泣也 洟鼻液也 偍止也 緹衹說文帛丹黃色或作衹 醍酒赤色 ⿰是攴博雅⿰是攴棓杖也 挮鞞去涕也或从鼻 ⿰革豊軟謂之⿰革豊 ⿰子弟孩也 ○弟𢎨待禮切男子後生爲弟古作𢎨文十四 娣說文女弟也 媞媞婗無媚一曰諦也 悌易也 ⿰舟弟船名 遞逓更易也或从弟 題鍉瓻也方言陳魏宋楚謂之題或从金 涕泣也 怟怟怟愛也郭璞說 ⿰是攴杖也 ⿰走弟輕也 ○禮礼⿰示乚里弟切說文履也所以事神致福也亦姓古作礼⿰示乚文二十八 豊說文行禮之器从豆象形 醴說文酒一宿熟 澧說文水出南陽雉衡山東入汝亦姓一曰州名 蠡蟸⿱彖⿰豕豕說文蟲齧木中也或省古作⿱彖⿰豕豕 釃釃酺釃酪淬或省 ⿸广麗說文數也 劙刺也劙也 劙 盠博雅瓢也一曰盠簞也或从皿 欚⿰舟蠡說文江中大船名或作欚通作欐麗 ⿱竹豊竹名 鱧

清也 玼 引詩新臺有玼 [illegible] 緀 [illegible] 泚 [illegible] 萋 [illegible]

林皃一曰 〇濟 子禮切 說文水出常山房子贊皇東入泜 一曰濟濟 [illegible] 泲 [illegible]

[illegible] 〇米 母禮切 [illegible] 粊 [illegible] 䊳 [illegible]

[illegible] 〇禰 [illegible] 濔 [illegible] 䌕 [illegible]

[illegible] 冭 [illegible] 〇頋 [illegible]

[illegible] 冗 [illegible] 〇 [illegible] 陛 [illegible] 梐 [illegible]

[illegible] 䏶 [illegible] 髀 [illegible] 𩨬 [illegible]

[illegible] 〇 [illegible] 㒃 [illegible] 坒 [illegible] 狴 [illegible]

[illegible] 一曰星名 [illegible] 底 [illegible] 邸 [illegible] 柢 [illegible] 坻 [illegible]

[illegible] 詆 [illegible] 呧 [illegible] 牴 [illegible] 抵 [illegible] 觝 [illegible] 羝 [illegible]

[illegible] 軧 [illegible] 䟡 [illegible] 䢀 [illegible] 提 [illegible]

[illegible] 罝 [illegible] 〇體 [illegible] 軆 [illegible]

[illegible] 涕 [illegible] 〇弟 [illegible] 娣 [illegible]

[illegible] 豊 [illegible] 〇禮 [illegible] 礼 [illegible] 𥘑 [illegible] 醴 [illegible] 鱧 [illegible] 蠡 [illegible] 澧 [illegible]

[illegible]

鱺魚名說文鱺也或从麗 麗彭蠡澤名通作蠡 鱧魚名說文鮦也 蠡亦艸也 禮戟屬鉞謂之禮 欐梁也 矖視也

筣筣笓織荆 履踐也易履霜堅冰鄭康成讀 ○禰乃禮切說文親廟也亦姓或作祢文二十八 嬭廣雅婢嬭母也

䰯𩭐說文髮皃讀若江南謂醋母爲䰯或作𩭐 檷鑈鈮說文絡絲檷或从金亦作鈮通作柅 薾華垂也通作䔾 抳博雅止也

𦯬泥露濃謂之𦯬或省 濔水流也 柅木名實如棃 坭地名在衛 苨艸名薺苨 薾華我曰薾

尼爾雅定也 𢥛心弱也 𨶯閟說文智少力劣也或作閟 昵近也通作尼 濔㳽說文滿也一曰濔濔眾也或省

𩍏鞸輭也或作鞸 隬地名 𪏆黏也 ○啓遣禮切說文教也引論語不憤不啓文十六 启說文開也通作啓

晵說文雨而晝姓也亦姓 闙開門也通作啓 𧞸䙚開衣也或作䙚 卟卜問也 𩠐稽說文下首也或作稽

䏿肥腸 棨𣪁說文傳信也一說形如戟有幡書之吏執爲信或作𣪁 綮說文撽繒也一曰幟幟信也有齒一曰肉結處也

鍇方言鍇鍇堅也 輆𨋢說文礙也一曰至也或从启 ○傒徯蹊𧦝傒戶禮切說文待也或作徯蹊𧦝傒文十八

謑䜓說文恥也或从奊一曰謑詬小人怒 䁯目動 匸說文衺徯有所俠藏也从乚上有一覆之 涀水名出高陵

𥰭䑂所以安船或从舟 㨙揭也 蒵蘼也 𧥺誠言也譍也 衺開衣也 脋肥腸 輆至也礙也 ○

堄吾禮切埤堄城上垣文十一 䵫戰慄擊聲 掜擬也一曰不從 倪睨俾倪視皃或从目 晛日映一曰明也 𧠄流視

衣飾 觬說文角觬曲也西河有觬氏縣 謑恥也 盻盻盻勤苦不休息皃一曰恨視 婗婗婗無媚一曰疑不決 寱夢魘 ○

㕧香禮切然也文三 嫛婉也 𧧑博雅譍也 ○埤下礼切埤堄城上垣文二 䝅戰殿擊聲 ○灑時禮切汎洒也文一

○鳽鷄古礼切鳥名鳧也或从奚文三 脋肥腸 ○茝掌睨切香艸名似蘭齊謂之茝楚謂之蘺文一

十二 ○蠏下買切蟲名說文有二敖八足旁行非蛇鮮之穴無所庇通作蟹文十八 邂迦邂逅解說皃或作迦 薢艸名

說文薢若也 解曉也散也亦姓 獬𤚎鮭獬豸獸名或作𤚎鮭 澥說文勃澥海之別也一曰澥谷也 嶰山澗 𨻶

說文水衡官谷也一曰小溪 䪹廣雅韰謂之䪹 𩹳魚名鮦也 𡐛地名 𥳙竹名 䂒矛也 𣝣松櫹也 𩊝盾阜 ○

解舉蟹切說文判也以刀判牛角一曰解廌獸名文六 薢薢茩艸名 檞松櫹也 獬𠎝獬獬豪強皃或从人 嶰谷名 ○

芐口蟹切𡿪也文三 婜意難也 𠢕勸𠢕疲也 ○矮𤺥躷倚蟹切𤺥也或作𤺥躷文五 𡇠笑聲

㢊倚坐○丫古買切羊角文七𣐊柺杖或作枴亦書作柺𥅦盾皐掛別也罫罣博局方目也或作罣
○扮虎買切亂也文一○擺補買切開也或書作擺文五捭說文兩手擊也鵜鵜鵜小鳥名𣧑博雅裂也
罷鐵杖○罷部買切說文遣有辠也从网能言有賢能而入网而貫遣之引周禮議能之辟一曰止也文十四䆉穲穲䆉短兒或作
穲猈說文短脛狗鑼鐵杖𣨼裂也憊疲劣也𠢿𤸷疲也一曰惡怒箄闕人名楚有史箄灑水名
擺撥也捭兩手擊也䕻艸名犤牛短足○買母蟹切說文市也从网貝孟子登壟斷而网市利文六嘪嘪嘪羊鳴
蕒蕒藑艸名𣸸說文水出豫章艾縣西入湘鷶䳬鳥名博雅鷶鸛子鳩也或从隹○躧所蟹切視也文十二灑
洒汛洒也或作洒汛躧徐行也𩏡𩋖𩋖屣也或作𩋖亦省纚縰斯韜髮也或作縰斯
籭簁也○簃杜買切取魚竹器文二杖杖也○𧳜㒧部買切豪強兒後魏時語莫𧳜獬或从人文二○廌
觥觤𧳜丈蟹切說文解廌獸也似山牛一角古者決訟令觸不直象形从豸省或作觥觤𧳜通作豸文十豸蟲無足𧳜子也
扡析也杝析木也駘駘駭馬不進佁佁儗癡兒○擗柱買切攙物也文一○嬭妳𡇻女蟹切博雅母也或作妳古作𡇻文四

疓博雅病也○抧仄蟹切擊也文四跐蹋也蚩蟲名秕禾也○胯枯買切腰肥兒
文六銙𩊚帶具或从革袴小衫曰袴㤣心悏也跨蹤跨行兒○覣五買切博雅視也文一○搋
初買切指取物也一曰搦也文一○女奴解切楚人謂女曰女文二疓病也○𡼏楚解切山名文一○崴烏買切崴𡷊山
谷不平兒文一○𡷊戶買切崴𡷊山谷不平兒文二夥多也○怶怦買切裂也文一
十三○駭下楷切說文驚也文七絯挂也絲也侅奇侅非常也駴疾雷擊鼓曰駴豥爾雅豕四蹢皆白豥
梩杷臿也或作杷○鍇口駭切說文九江謂鐵曰鍇文八楷柭說文木也孔子冢蓋樹之者一曰模法也古作柭
𦁥大絲𦛟瘦謂之𦛟雉𥏲竘桂林謂人短爲矲雉或作𥏲竘○挨倚駭切說文擊背也文二唉飽聲謂之唉一
曰應聲○騃語駭切說文馬行佁佁也文四瘊病也癡也娾喜也覞視也○攋洛駭切把攋弃文三懶襰
懶懶衣破或从衣○鉙知駭切缺也文一○㦉襏縀師駭切懶㦉衣破或从衣从糸文四𢵧擺𢵧抖擻也○
簁䈫徙駭切竹器或从買文三徥博雅行也一曰細而有容○鍇古駭切堅也文一○徥直駭切行也文二

[illegible]

柇扙也○矲蒲楷切短也文一

十四○賄䝿虎猥切說文財也或从每文十八焨火色悔恨也或書作悳嗳哀也腜胎腜大腫

燗爛也潣湏水皃或从頁煨方言火也倠佁仳倠醜皃或从台蛕土蟲名痗病也䔁說文

青黃色也輠車轉也溾溾浽穢濁謉啍謉謉言○䫥苦猥切說文頭不正也文十五顝大頭也傀傀儡木偶戲

䞈䞈䞈多皃磈磈嵬碨礧磈山皃或作磈嵬碨竨𥫵然獨立皃魁魁瘣木枝節盤結也塊大塊天地

間也輠車轉也簂篼竹高節或省㑹㑹儈長大皃○瘣戶賄切說文病也引詩譬彼瘣木一曰腫旁出也文二十九

侑痛聲媿媿㛤不知皃讃中止也簂篼竹高節或省溾溾浽穢濁櫰木名似槐匯說文器也

一曰回也夏書東匯澤為彭蠡㑹貿物價廆庳也儈㑹儈長大皃潰決溢也螝蟲名說文蛹也輠䡈車轉

也或作䡈回繞也春秋傳右回梅山徐邈讀塊大塊天地間也蘬黃也藨蒐艸名懷羊也或省誧呼也䫥多也

鄎𨛫邦塊也顊顊顊頭皃鮠魚名叔鮪也繢畫也憒亂也嬇腫決也○猥鄔賄切說文犬吠聲一曰

并雜文二十觼說文角曲中也偎偎僾行病㛹㛹㛹弱也腲腲脮肥也媁媁婑姸也鍡說文鍡鑸不平也嵔

嵔嵔壘山名或省亦書作㟪碨磈𥗯石皃或从委从威溾漼博雅穢也或作渨椳門樞㾯瘣

㾯痿風病或从委餧嘔而吐也萎萎腇耎弱也鄎𨛫邦塊也○頠五賄切頭閑習也文九顡顡顡愚皃隗

說文隗陮隗亦姓崔嵬山皃或从鬼䫥廣雅大皃一曰頭不正磈磈衆石皃或省廆闕人名晉有慕容廆○

琲部浼切珠五百枚也亦書作斐文九俷俷倠面醜一曰離也蓓蓓蕾始華也腓痱說文風病也或从肥倍反也

㧓手起物蓓黃蓓艸名倗姓也漢有倗宗○浼潣母罪切說文汙也引詩河水浼浼引孟子汝安能浼我或作潣文十一

燜熟謂之燜𣬆碎其也苺每說文艸盛上出也一曰雖也隸作每痗病也梅梅伯紂諸侯號挴慙也穤

博雅敗也一曰禾傷雨苺艸名說文馬苺也○漼濢取猥切說文深也引詩有漼者淵或从萃文十六滜說文新也洒

高峻皃詩新臺有洒璀說文璀璨玉光皠白也鏙鏙鱗甲謂之鏙錯一曰文采皃磪絲大皃䧽動皃一曰速皃糶

䊖稻赤米曰䊖或作糗漼泚漼清也通作滜嶉山皃鬌𩭧毛鬆皃或从毛摧摸也○槯祖猥切木蘊積文十

集韻二　二十七

萎詐也挫也佳嶊嶵山皃莊子山林之畏隹或作嶊嶵嗺口醜也洅雷震謂之洅肶面頯捘推也
㢈㢈㢈垂皃○辠粗賄切說文犯法也从自言辠人蹙鼻苦辛之憂也秦以辠似皇字改為罪文五罪說文捕魚竹网嶵嶵
說文山皃或从罪擌拉也○脮覩猥切脮腲大腫文九陮說文陮隗高也竨竨說文磊竨重聚也隸作竨𢷺排也
䭔陊䭔木實垂皃啍譹言頧頭不正皃埵堅土○骽腿吐猥切股也或作腿文十二妥爾雅止也一曰安也
俀弱也脮腲脮肥也𤸷重𤸷踵疾聉聉頪愚皃娞媿娞弱也𨓈偎𨓈行病僓說文嫺也一曰長皃崣崣嶵
山高皃𤸷瘣瘣風病○琣普罪切關人名唐有滕王琣文五俖不可也啡唾聲朏月未明也昢日未明皃○
錞鐓杜罪切矛戟平底或从敦文十四篟筶篟竹名憝恨也隊羣也隧徑也春秋傳當陳隧者徐邈讀
遺潰遺沱水汎沙動皃或从潰𡾞高皃陮隁陮隗高也或作隁䤏博雅錬䤏鈌鋡也𥪯重也
蓶艸也○磊磥礧魯猥切說文眾石也或从累亦作礧文四十𤻮瘰癧病或从累𡙇大也礧
磥礨𡾋大石皃或作磥礨𡾋𡺑𡽗磈𡾯𡾋說文𡽗也或作𡽗磈𡾯𡾋亦書作𡾋儽傫
傫說文垂皃一曰儽儽疲也一曰嬾解或作儽傫鑸說文鎗鑸也櫑櫑具劍上鹿盧飾降說文磊也郲鄳郲境埼郲
洡縣名在桂陽或作洡頪頭不正䐯䐯腲腫皃𤫫𤫫𤫩瓜中𤺊小腫蕾蓓蕾始華也耒田器壘
纍累㟪壘山名或作纍亦省礨礨空小穴也一曰小封灅𤃦水名漢書在北平南至無終東入湧或省儡儽
纍傀儡木偶戲或作儽纍瘣魁瘣木枝節盤結也○餧餒弩罪切說文飢也或作餒文十五鯘鮾腇魚敗
也或作鮾腇通作餧婑㛪㛪婑妍也或从委娞媿娞弱也浽涹博雅濁也或作涹䬐風動謂之䬐腇萎腇
耎弱也𤬁𤬁瓡瓜中錗重垂也𨓈偎𨓈行病○阭俞罪切高危也一曰地名文一○累路罪切畏累山名文四
類偏頗也春秋傳刑之頗類徐邈讀礨堀礨不平皃瘣魁瘣木枝節盤結皃○頧沽罪切頗高皃文四𠂢背呂也
䐲腫大也憒博雅亂也○悖必每切博雅㔙也文一○崔息罪切動皃速皃文一○倄於罪切痛聲文一○
䯤陟賄切假髻文一
十五○海許亥切說文天池也以納百川者或書作𣲵文八烸燥也醢𥂝䀀說文肉醬也籒作䀀或作𥂝

十五○海 許亥切說文天池也以納百川者 ○ 醢 [illegible]

[illegible] 說文[illegible]切 [illegible]

䁅 [illegible]也 ○ 䈉 [illegible]

[illegible]

集韻 [illegible] 三十

[illegible]

榿醢盇酒器或作醢盇○愷豈凱可亥切說文樂也或省亦作凱文十五颽風曰風通作凱塏說文
高燥也磑方言明也嵦山皃闓博雅欲也一曰開也鎧說文甲也膭肥也愒貪也輆博雅輆軩不平也一曰礙
也肯肎字林著骨肉也或作肎嘅歎也○改巳亥切說文更也从巳从攴李陽冰曰巳有過攴之即改文十敳說文毅敳
大剛卯以逐鬼彪从辰巳之巳忋博雅恃也頦醜也頤胲𦢊頰下曰頤或作胲𦢊緕彈彄也一曰繹繩佁癡也
輆輆軩不平○亥豕𠅩下改切說文荄也十月微陽起接盛陰从二二古文上字一人男一人女也从乙象裹子咳咳之形引春秋傳
亥有二首六身古作豕𠅩文十四劾鞫因也侅賅奇侅非常或从貝核動也減也𥩘豎𥩘神人也通作亥輆輆軩
不平也閡藏塞也頦頷也忋恃也毅毅敳大剛卯漢法以正月卯日作佩之除厲鬼或用金玉或挑銘曰正月剛卯也絯絲○
欸唉倚亥切譍也或作唉文十六㕊藏也娭戲也婢也挨博雅擊也緕說文彈彄也一曰冠卷毒人無行也
靉雲盛皃騃疾擊鼓也周禮鼓皆騃李軌讀僾仿佛也腴腁肥也或作腁鮯魚名叔鮪也與与也
敳毅敳大剛卯焴爛也○啡普亥切唾謂之啡文四俖倗不可也或作倗朏說文月未盛之明从月出引周官丙

集韻三

二十一

正

午朏○倍簿亥切說文反也文八菩蓓說文艸也或作蓓蓓董蓓艸名蓓蓓蕾始華也培重也十一子乃今培風
㾮說文風病也備姓也漢有備宗○穤毋亥切禾傷雨曰穤文四挴貪也莓艸名實如桑椹輆輆軩不平○
采採此宰切說文捋取也或从手文十四綵繒也𨛍地名彩文色也通作采婇女字寀爾雅寀寮官也一曰同地
爲寀𩬗鬛謂之𩬗㾂病也埰博雅冢也倸說文姦也一曰恨也䏁大腹也棌木也漢書唐虞棌椽䛽就也○
宰宷傘子亥切說文辠人在屋下執事者从宀从辛辛辠也賈公彥曰宰者調和膳羞之名一曰官稱古作宷傘文十二毂殺也通作
宰㜠滅也莘菜名崽湘沅呼子曰崽載年也縡事也通作載聹說文益梁之州謂聾爲聹秦晉聽而不聞聞而
不達謂之聹騂馬雜騘色也寀臬也○在盡亥切居也存也察也文一○茝昌亥切艸名說文虈也文一○佁夷在
切說文癡皃文一○疓汝亥切病也文一○待竢蕩亥切俟也或从立文二十迨隶隸逮及也或作
隶隸逮殆說文危也一曰近也駘疲也一曰駘蕩散也佁癡皃㦣病也靆靉靆雲盛皃怠說文慢也詒江南
呼欺曰詒通作紿紿緦說文絲勞即紿一曰纏也或从怠軩博雅輆軩不平也㥆言不正箈竹萌或作箈

悌易也○愷布亥切恃也文一○等打亥切齊也文一○噫坦亥切言外也文五嚏吳人謂逆剡木曰嚏懘

箈竹萌或作箈駭疲也○釓鑉里亥切連鉤鉤曰釓或从禮文四唻囉唻歌聲硋磨也○乃

迺𠄎𢎗圝卤曩亥切說文曳詞之難也象气之出難一曰汝也或作乃迺古作𠄎𢎗圝卤文十三⿱能日埃⿱能日曰無光

疓博雅病也鼐鼎大者腇肥也⿰車褱輆也⿺辶⿱艹西艸名○諰息改切語也文三⿱竹枲竹名葸愨也論語慎而

無禮則葸一曰難順也○騃五亥切童昏也文四顗爾雅顗顗靜也隑長也倚也敳改理也

十六○軫䡅止忍切說文車後橫木亦姓或作䡅俗作軙非是文三十九診覙說文視也或作⿰眞見弫弓強

也胗疹說文脣瘍也籀作疹聄⿰耳氐告也或引禮聄於鬼神亦作⿰耳氐通作昣眕說文目有所恨而止一曰安重也姫

慎也沴沴汈涇相著抮了戾也㰫㰫㰫喜而動皃一曰擊也㐱說文新生羽而飛也⿰㐱頁說文稠髮也引詩㐱髮如

雲或作⿰㐱頁黰黑謂之黰賑⿰貝㐱說文富也或作⿰貝㐱軹語辭一曰是也莊子奚來為軹夫⿰石㐱以石致川之廉也⿸疒㐱彿病

趁走謂之㐱眕明也駗馬載重難行也⿰單辰笑皃袗裖說文玄服或从辰紾說文轉也縝⿱㐱貝紖

纑也或人枲亦作紾畛⿰田臣說文井田閒陌也古作⿰田臣稹說文穜概也引周禮稹理而堅之⿰㐱頁說文顏色⿰㐱頁慎事也一曰懇也

振襌也禮振絺綌通作袗縝槙木理堅密也一曰木振相迫○矤矧𢼄訠矢忍切說文況也詞也从矢取詞之所之

如矢也或作矧𢼄訠文十一⿰弓矢長也弞哂吲說文笑不壞顏曰弞或作哂吲⿰目頁說文舉目視人皃⿱竹引竹名⿰魚引

魚醬○腎是忍切說文水藏也文十二祳脤⿰月臣說文社肉盛以蜃故謂之祳天子所以親遺同姓引春秋傳石尚來歸祳或作脤⿰月臣

⿰金辰圓鐵麎爾雅麎牝曰麎蜃⿱辰䖵⿱辰黽蛤也說文雉入海化為蜃或从䖵从黽⿸尸肙重脣㰮說文指而笑也

鈏錫也○忍爾軫切說文能也文六涊水名汈沴汈涇相箸訒鈍也難也荵說文荵冬艸肕朐肕縣名

○胤羊忍切繼也文一

十七○準⿱享丰主尹切說文平也或作⿱享丰俗作准非是文十一埻說文射臬也肫頤也純緣也淳

敦綧布帛幅廣也或作敦綧通作純諄方言宋魯凡相惡謂之諄蜳蜳蟲行隸作蜳○蠢䵴𢧵𢦨

𢧢尺尹切說文蟲動也引周書我有蠢于西或作䵴𢧵𢦨𢧢文二十惷䔯說文亂也引春秋傳王室曰惷惷焉一曰厚也或从攴鬊髮亂

皃偆說文富也一曰喜樂皃䐢肥也朐朐朐䏰縣名在漢中或从匀俗作朐非是騿駭也春作也出也周禮春以

功睶大目㖥吹也踳舛僢蝽雜也或作舛僢蝽萶艸名○盾豎尹切所以扞身蔽目者通作楯文

大吮舐也楯說文闌檻也揗摩也陏階也輴車轉者○蝡蠕𧍷乳尹切蝡蠢蟲動皃或作蠕亦

从莬文九毴毲說文毛盛也引虞書鳥獸毴髦或作毲愞劣弱皃㖕吮也蕬縢韋綺或作縢○笉此忍

切筊也文二𥳑小竹○𣞢子忍切盡也文四盡極也任也濜湞濜水波皃杓絲梳○盡在忍切說文器中空

也一曰悉也文四濜水急流皃藎艸名嫿女字○筍笋箰𥳇聳尹切說文竹胎也或作笋箰古作𥳇文十九

簨簨橾栒所以縣鍾磬橫曰簨植曰簴或作筍簨栒榫刻木相入芛艸木華初生者爲芛粵㥏說文驚亂

也或从心鵻隼鶽鳥名說文祝鳩也或作隼一曰鶉子亦作鶽鎨金之萌生曰鎨諤謀也㦏愞㦏劣弱皃恂

嚴慄也○䐜阻引切角齊謂之䐜文五𣯖毛髮齊皃亲木聚齊曰亲笫簀也周禮衽席牀笫徐邈讀濜濜潾水流皃

○齓楚引切博雅毀齒謂之齓文一○濜鉏引切湞濜水波皃文一○牝匕婢忍切說文畜母也引易畜牝牛吉古作匕文二

獱獺屬髕臏說文厀耑也一曰刖也或从肉扁鶣扁鶣古之良醫或作鶣蝙蛤也蠙珠名[illegible]蠙珠劉昌宗

讀一曰水苔也莊子鼃蠙之衣李軌讀○泯彌盡切水皃一曰盡也文十六脗脗合无波際皃轗車伏莬敃細理也惽

昏意莊子惽然若亡而存緡合也莊子丘陵艸木之緡郭象讀刡削也眠視也繩繩繩無涯際皃一曰運動不絕意勔黽

僶爾雅勉也或作黽僶澠澠池水名䟗獸蹄甲也笢說文竹膚也𦕈注意而聽謂之𦕈○愍𢚩𧓵

緡美隕切說文痛也古作愍蠢或作緡亦書作愍文三十一慜聰也閔說文弔者在門也憫憂也或書作閔敏勄說文疾也

一曰足大指名古从力豶豕名敯說文冒也引周書敯不畏捪撫也摹也敃𢾍忞說文彊也或作敃忞潣說文

水流浼浼皃湣暋謚也史記齊有湣王或作暋䍇罔密也轗輡說文車伏兔下革也从憂古昏字或从昏簢

𥳽𥴎艸名爾雅簢筡中中空類竹或作簢簢𤛆山牛鰵海魚名沔水名渳洛尸也周禮大渳杜子春讀蠠

爾雅蠠沒勉也𪄿鳥名鴞也癎病也○屒展引切說文伏皃一曰屋宇一曰重唇文三眕視有所恨而止○辴丑忍切笑

皃文九趁𧺶走也或从夂螴螴蜳蟲行一曰不安定意賑富也齓毀齒也疢病也駗馬載重難也

抻手伸物○紖絼文忍切說文牛系也或作絼文十一 杒栚木名灰可以染或从朕 ⿰月引博雅瘢也一曰遽也

眲怒目謂之眲一曰目睛 眹目兆也 朕革制也周禮函人爲甲眡其朕鄭司農說 靷引軸也 診視也 榬木名○

嶙里忍切嶙嶙山峻皃文十九 粼隱粼川形 轔軨轔車聲 燐鬼火 瞵高瓏謂之瞵 僯懃恥也 撛扶

挺也 橉木皮曰橉一曰砌也閾也 驎隱驎馬色駮也一曰白馬黑脣 瞵視不明 蹸說文轢也一曰行皃 璘玉 磷

⿱厸石石皃或从厽 ⿱艹粦艸名 䫐少髮皃或書作䫐 獜博雅健也 閵燭息火存謂之閵也 ⿰粦乚夏○稐䅥

稛縷尹切禾束曰稛或从耒从囷文八 惀思求曉知謂之惀 淪没也尚書商其淪喪徐邈讀 埨⿰田侖壟土或从田 蜦

蝹蜦蛇行皃○緊紾頸忍切說文纏絲急也或作紾文九 ⿰木緊木名 胗⿸疒取⿰月取疹脣瘍或作⿸疒取⿰月取疹 ⿺辶艹

菜名似蒿 婜女字○螼遣忍切說文螾也文四 ⿱臤皮皮厚也 ⿺走臤說文行皃 繾繾綣纏也○引⿰扌弓以忍

切說文開弓也一曰導也古从手文二十 廴說文長行也从彳引之 ⿴行申申布也 ⿰口寅博雅笑也 演水名 弞笑不壞顏曰弞

胂當脊肉 朄擊小鼓以引樂 縯引也 戭長戈 鈏爾雅錫謂之鈏 靷⿰革?說文引軸也籀作⿰革? 濥演濥水脈

螾蚓⿴行虫蟲名說文側行者或从引亦作⿴行虫 紖牛系也 笉竹名○⿸疒寅才尹切疻蛘也文一

○尹𠀉⿱?糸庾準切說文治也从又握事者也古作𠀉文十六 允說文信也引 䇣易䇣升大吉 䫠說文面目

不正皃 玧瑱也 阭說文高也一曰石也 ⿰虫允蟲名 鈗說文侍臣所執兵也引周書一人冕執鈗 ⿰馬允爾雅馬逆毛居⿰馬允 狁

玁狁匈奴別號 楯盾干也或省 蜳蟺蜳不安定意 沇水名○齓創允切毀齒也文一○釿擬引切說文劑斷也

文七 ⿱犬齒博雅笑也一曰齒齊 齗⿰犭斤犬爭謂之齗或从犬 ⿰石脣大脣也 笉笑謂之笉通作听 听大口謂之听○

磒羽敏切說文落也引春秋傳隕石于宋五通作隕文十三 隕抎有隕自天或作抎 殞殁也 霣⿱雨?

說文雨也齊謂靁爲霣一曰雲轉起也古作⿱雨? 涢涢盡水波皃 愪憂也 頵頵頯面不平正也 笉笑也 ⿰員頁說文面色顚頵皃

縜持綱紐說文茇也謂茅根一曰藕梢 㾓病也○稛⿴囗鹿麇苦磒切博雅束也或作⿴囗鹿麇文四 僒偪也○窘

巨隕切說文迫也文二十 囷廩也 僒傴也 ⿰亻君或省 稛稐稛束也 ⿰口困欲吐皃也 惲重厚也 䐃獸脂聚皃一曰

腸中脂 ⿰王困博雅珚砡齊也一曰玉名 莙艸名說文牛藻也似藻葉大 菌⿴囗菌艸名說文地蕈一曰菌桂一曰鹿藋亦姓或作⿴囗菌

麴餅屬 蜠貝屬爾雅蜠大而險 䴗雞無尾 頵頭皃 卷睍卷縣名在安定郡 箘箟箸說文箘簬也一曰博棊古作箟或作箸 ○輑牛尹切說文車前橫木文六 䡅輪䡅束也 珚珚砡𨿅也 攟束也 䨵雨也 嘽口大齒醜皃

○脪𤵸與腎切熱气箸膚也或作𤵸文二 ○駗知忍切馬重也文一 ○螼丘忍切蚓也文三 趣行皃 螾螼螾也

○臏逋忍切刖也文二 腷臏肉 ○砏匹忍切石也文二 覿覵覿暫也 ○巹巹姜愍切柔蝡也或作巹文四

螼螼蝖蟲名 巾飾也 ○賰偆式允切賰賭富也或从人文三 腯賰腯肥皃 ○囟思忍切小兒頭會也文二 顖

爾雅繼也 ○楯辭允切干也文一 ○蝳杜允切陳蝳不安定意文四 埻也 隊道旁短垣 瑑壁上成文曰瑑

蹲趣允切蹲循綫意文一 ○栒敕準切案也司馬彪說文三 陳墫陳墫不安定意 偆當也

十八○吻胁唇吻武粉切說文口邊也或作胁唇吻通作脗文十九 脗聚筋也 脗脗合無波際皃

㓙離也 抆扢拭也一曰拒也或从昏 刎歾斷也或作歾 忞博雅忞忞亂也或書作忟 勿覆也 蒚鉤蒚艸名

笏循笏手循笛皃 鄭鄉名在廣漢 汶洨水名或从攵 湣水絕皃 ○忿撫吻切說文悁也文二 魵魚名

鰕也 ○粉府吻切說文傅面者也文六 㡓說文以囊盛穀大滿而裂也 黺說文衮衣山龍華蟲黺畫粉也衛宏說通作粉 扮

捹握也動也或从忿 葐艸名 ○憤𢡂憑父吻切說文懣也或从奮亦作憑文三十 忿賁怒也或作賁

濆涌也 膹說文䐶也 扮說文握也一曰動也并也 坌隱坌丘高起皃 坋說文塵也一曰大防也 䴅分也 墳土膏肥也

𤺌病悶也 轒轒輼大車 橨博雅橨株柎也 牘牀版 鼢鼲 蚡說文地行鼠伯勞所作也一曰偃鼠或从賁从虫

獖博雅犲獖犬屬 羵土之怪 魵魚名爾雅魵鰕出穢邪頭國 鱝鰫魚名大䲊也形圓有毒或从忿 棼闕人名楚有伯棼

盼盼泉地名在魯通作賁 蕡蕡藹木繁茂皃孫炎說 㡓憤穀囊滿或从賁 粉穧粉穫也

十九○隱倚謹切說文蔽也一曰安也亦姓文二十四 㥯說文所依據也从受工 㦩懚憂病也哀也或作懚

乚說文匿也象迟曲隱蔽形 𤻞痛也通作隱 癮瘾癮疹皮小起皃或不省 䌥博雅綘也一曰縫衣相合 嶾𡺆

嶾嶙山高皃或从隱亦書作𡺆 濦㶏說文水出潁川陽城少室山東入潁或从隱 磤硍雷聲詩磤其雷或从石 𨎮𨍭

車聲或从殷通作殷 䨸䨸䨸雲皃 檃檼棟也或从隱 蘟蘟蒠菜名似蕨 蒠蒠菫艸名 㐆歸也 讔廋語

○蠔蚓 許謹切蟲名蚯蚓也吳楚呼爲寒蠔或作蚓文六 脪瘬 創肉反出也或作瘬 仂 多力也 炘 博雅爇也 ○

赾 口謹切說文行難也文六 齷 齷齗齒皃 螼 蟲名蚓也 听 笑皃 齗 口上肉 圻 界也 ○謹 几隱切說文愼也文

二十三 慬 慇也憂也 赾 行難也 墐菫蓳 艸名爾雅謂之蒩茜今菫葵也一曰黃土古作蓳 菫 說文艸也根如

薺葉如細柳蒸食之甘 新 博雅新䊪黏也 巹 說文謹身有所承也 㨻 拭也 靳 肋也 嫤 好皃 螼巹 說文蠡也一曰

瓢也或作巹 蓳 菜名類蒿或省 ⿱竹堇 竹名 槿 木名蕣也 ⿰牛堇 博雅柔也謂牛柔馴 廑 闕人名衛有治廑 漌 清也

⿰糸堇 織紋緻密 瑾 美玉 ○齔 初菫切說文毀齒也男八月生齒八歲而齔女七月生齒七歲而齔文一 ○近 巨謹切迫也古作岓

岓文三 瘽 病也 ○听 語近切說文笑皃文三 齗 口上肉 ⿱犾齒 笑也 ○抎 羽粉切說文有所失也引春秋傳抎子辱矣文

十一 頵 頵䫉面急也 縜 持綱紐 ⿸疒員 病也 ⿰口員 廣雅吐也 殞 殂也 熉 黃皃 愪 憂也 磒 石落 枃 絲梳

运 走皃 ○攟 擧蘊切博雅取也文二 庫 儲積也 ○惲 委隕切說文重厚也文十八 薀蘊菀宛

說文積也引春秋傳薀利生孽或作蘊菀亦省 壼 壼壼不泄皃 褞 衣也 韞 藏也 緼 枲也紼也 ⿰車宛 轒⿰車宛 睴 睴[illegible]目也

醞 醞釀也 搵 博雅拄也 慍 心所薀積也 腪 腪腯肥也 榅 木盛皃一曰積也 媼 女字 蝹 蝹蜿行皃 ○齳

齫 牛吻切說文無齒也或作齳文九 夽 說文大也 ⿺走困趣 走皃或从囷 喗⿰口君 說文大口也或从君 輑 車前橫木

⿰王囷 ⿰王囷砡齊也 ○⿺走困 丘粉切說文走意文六 ⿰米卷 粥稠皃 稇麇 束也或从麇 卷 縣名在鄭 麇 羣也春秋傳求

諸侯而麇至

二十 ○阮 五遠切說文代郡五阮關也亦姓文九 沅 水名在牂牁 邧 說文鄭邑也 [illegible] 小弱皃 ⿰目元 視也

⿰夗頁 面不正 ⿰音頁 樂名 ⿸厂頁 面短皃 ⿺走宛 走皃 ○宛 委遠切說文屈艸自覆也古作惌文三十四 夗 說文轉臥也

妴 說文婉也 婉 說文順也引春秋傳太子佐婉 院 垣也 睕 目開皃一曰嫵媚 倇 方言歡也 ⿰言宛 慰也從也 踠

屈也延跌也 ⿰衤宛 韈也一曰袖耑屈 ⿰革宛鞔 量物之鞔或从宛 ⿰革宛⿰韋宛 方言自關而東履其庳者謂之鞔或作⿰韋宛 ⿰舟宛

⿰舟宛 說文舟也或作舩 琬 說文圭有琬者 畹 說文田三十畮也或作⿰田宛 苑 說文所以養禽獸也 菀 艸名說文茈菀出漢中房

陵亦姓 涴 涴演水皃 蜿⿱夗虫 蜿蟮蚯蚓也或作⿱夗虫 ⿰山宛 山名 鵷 關山海經女和月母之國有人名曰鵷 ⿰酉宛 面柔也韓詩青楊⿰酉宛

二十○阮

兮通作婉 晼 景昳也 眖 指目也 笵 竹器 綩 綩 冠衾也一曰繅色衣一曰囿也或省 婉 入宛皃 䘼 襎䘼幞帊

○遠 遠 𢕟 雨阮切說文遼也古作遠𢕟文七 顮 說文面不正也 薳 蒝 薳蕬藥艸或作蒝 奤 奢也

大也 也 ○咺 嗳 火遠切說文朝鮮謂兒泣不止曰咺一曰懼也或从爰文二十 愃 說文寬嫺心腹皃引詩赫兮愃兮 查 奢也大也

諼 萲 詐也或作萲 睻 說文大目也 䚷 夐 說文大視也或作夐 晅 暅 暅 日氣也或作暅暅 烜

光明也 煖 溫也 暖 柔婉皃莊子有暖姝者 諠 忘也漢書諠已而遺形通作諼 菌 艸名山海經孟子之山多菌蒲 夐 營求

也 媗 女字 緩 寬綽也 ○拳 九遠切屈也文三 䄅 祭也 卷 𥜿卷不舒也 ○綣 苦遠切繾綣不相離散也文十四

䅌 禾相近謂之䅌 虇 萑葦之類初生者皆名虇郭璞說 䘼 襈謂之䘼 𢔙 徐行也 𥸤 䅌 粽 說文粉也一曰

餶䅌摶也或从黍亦作𥸤 圈 圈豚行不舉足皃一曰轉也 拳 拳拳奉持皃 卷 區也禮一卷石之多范宣讀 捲 摶也 巏

弓 弓曲謂之彏或作弓 ○卷 窘遠切亘蜀文十四 𥳑 竹名 菌 艸名蔨草也巴蜀語 蔨 艸名鹿豆也葉似大豆根黃而香郭璞

說 圈 畜閑也亦姓 㢾 聚名在河東 卷 捲 斂也或从手 𢍏 屈也 綣 ... 𩯭 髮曲 𨬍 屈金也 吕氏春

秋柔則錈堅則折 𪌊 餅屬 襈 襈也 ○𢞋 忓 許偃切張繒車為𢞋或从軒 文十一 軒 軒 𢡱 摲 博雅擬也

一曰手約物或作摲 蠕 蚓 寒蠕蟲名蚯蚓也或作蚓 𢞋 恨也 𤸷 寒病 諐 很戾也 𧼫 走皃 ○湕 紀偃切水名出

南郡文二十 犍 獸名似牛 揵 舉也難也 𡨉 爾雅徒鼓磬謂之寋一曰女字 箞 竹名 劧 難也 謇 讗 𧬄 方言

吃也或作讗寋 𡾊 𡾊嵼山阿也 弮 弓強也 蹇 說文跛也 鍵 門牡也周禮授管鍵鄭司農讀 揵 馬行不利也考工記終日馳騁

左不楗杜子春讀 腱 大筋 褰 字林袴也 建 揵 覆也漢書居高屋之上建瓴水或作揵 鰎 魚名 揵 博雅揵𤘟矛也 ○

言 去偃切言言脣急皃文三 𠋡 健𠋡相 嘕 嘕嘕癡皃 ○言 語偃切言言脣急皃文十 齞 齗 齗齒露皃或作齗

巘 山形似甗或書作巘 甗 甗 甑也 博雅甑也 遃 方言行也 𡾊 巇嵼山皃 㦲 言 仰也或从言 ○寋

巨偃切徒鼓磬文十二 腱 大筋 鍵 說文鉉也一曰車轄 楗 閮 拒門木或从門 𡾊 嵼 嵼嵼山皃或从寋 𠍣

倨也一曰偃𠍣 揵 舉也 鐽 籥牡也通作鍵 蹇 跛也 ○匽 隱懮切說文匿也文二十七 偃 說文僵也

亦姓 㫃 𠭖 說文旌旗之游㫃蹇之皃从屮曲而下垂㫃相出入也古人名㫃字子游古作𠭖 𡾊 山形 匽 物相當也 堰 也 阪

大一萬廾八小一千一百八十 集韻 二聲 上 樑 刋 捵 何

堰壅水也通作偃郾縣名在潁川鄢傿地名在鄭或作傿⿺走焉走皃嫣長皃㥯㥯褊性狹褗說文褗領

鶠䳛說文鳥也其雌皇或从隹鼴鼹鼠名或从匽通作偃鰋鰋魚名說文鮀也或从匽蝘䗼蟲名也

蜩螗也一曰蝘蜓守宮或从䖵⿰矛匽⿰金匽戟三刃者謂之⿰矛匽或从金躽傴也䁙視也○⿰樊頁翻阮切醜皃文四覾窺覾暫見

畚不釋米釀也鴘鷹二歲色○反反仮甫遠切反說文覆也古作反或作仮文十四返彶行還也或从彳

阪坂岅說文坡者曰阪一曰澤障一曰山脅也或从土从山轓車蔽⿰車反說文車耳反出也橎木名不華而實犿

連犿相從皃⿰言反權言合道瓪牡瓦○軬橎父遠切車上篷或作橎文八飯⿰食弁飰食也或从弁从卞

笲竹器所以盛棗脩鴘鷹二歲色⿰弁頁無髮也○晚武遠切說文莫也文二十輓挽說文引之也或从手鮸

魚名梚木名㝃生子免娩也娩婉娩容順脕愉也一曰色美澤⿰皮曼博雅離也謂皮脫離葂闕人名莊子有蔣閭葂通

作莬⿰食免博雅貪也鞔履空曰鞔免黜也勉勗也俛頫俯也或作頫冕冠有延前俯也絻服也⿰禾免

禾名莬艸名○塡徒偃切塡塡笛重皃一曰詳徐皃文一○⿸疒反芳反切方言惡也文一○哏五懇切哏嗄疋皃文一

○⿰亻連力偃切健倢相从也文一○冕忙晚切冠有延前俯也文一

二十一○混渾戶袞切說文豐流也一曰雜流或作渾文四十倱倱伅不慧也通作渾鯇鯶魚名似鱒

而大或作鯶緷束羽也爾雅百羽謂之緷⿱艹睆莞艸名爾雅⿱艹睆芺蘺或省稇束艸也⿰麥完全麥麱焜煇說文煌也

或从軍⿴橐昆說文櫜也棍束木也揚雄曰棍申椒與菌桂錕車釭溷濁也亂也⿰言昆謀也沄水流皃婫女字

輥車轂齊等皃很不聽行也行難也顐顐顐面急一曰面首俱圓謂之顐睔⿰目昆目大皃或从昆⿰角昆角圓皃一曰獸

角謂之⿰角昆⿰酉軍醽相沃謂之⿰酉軍⿰阝系說文大阜也掍博雅同也睴大出目也一曰睴睴視皃硍鍾病聲周禮高聲硍⿰革艮車革

前領頰髙也緄緄夷西戎名通作混捆博雅拊也⿰月昆圓長皃昆闕人名漢有公孫昆邪梡梱說文梡木

薪也或作梱睆地名在舒眃眩眃疾皃○惛虎本切惛憓不憭也文三黖黑也緍結也○梱閫朱

苦本切說文門橛也或作閫朱文二十五壼說文宮中道也从囗象宮垣道上之形引詩室家之壼古作𡈽稇裍⿴囗稇圈

說文絭束也或从衣亦作圈圈捆一曰致也緷大束也悃說文愊也捆齊等也孟子捆屨織席綑織也齫齦齒起

阪 坂 岅 反 返 仮 飯 晚 挽 輓 勉

二十一○混 渾

緷 袞 悃 梱 閫 壼 稇 睔

皃一曰齧也或作齦 硱硍硱石落皃 踊說文豕足也一曰跡也 頤無髮也通作頓 頵頰高也 蒑艸名似蓍食之不夭

豤齫豕齧物也或从齒 詪詪詪很皃 墾耕也 懇誠也 ○袞卷古本切說文天子享先王卷龍繡於下幅一龍

蹈阿上鄉或作卷文三十六 睔說文目大也春秋傳有鄭伯睔 緄說文織帶也 輥說文轂齊等皃引周禮望其輻欲其輥 緷束也

百羽為緷 蔉墾苗也 惃惃𢡸博雅惃𢡸亂也或从衮 丨說文上下通也引而上行讀若囟引而下行讀若退 滚混

渾大水流皃或作混渾 諢語不明 磙鐘病聲謂鐘高則聲上藏衮然旋如裹 輥車轉 錕車釭齊燕海岱之間謂之錕

掍睔說文同也或从同 鯀說文魚也 䱸鮌鯀關人名禹父也或作鯀通作鮌骸 鯶魚名似鱒 㯻

大束 緄鶤鴨炙也 耟耕也 㥵惃憁懣也 領頤頰高也或从艮 𦰿艸名藋也 骸細骨也 捆拄也 棍六尺

犨也一曰犨韃 旛旗名 ㇆鉤逆鍵 ○穩鄔本切蹂穀聚也文八 熅熅炳熱也 穩安也或从足 䠚通作穩俗作非

是 緼赤黃色禮士緼韍 顐顐頭面急 噎噎噂小口 慍慍惀煩憒 ○本布袞切說文木下曰本古作𡴕文六

畚畚說文𤲑屬蒲器也所以盛種或作畚 笨說文竹裹也 苯苯𦬊艸叢生 翉普本切鳥飛上起 㖹噴也

大二百二十八 大一百九十八

○獖部本切廣雅犬屬一曰守犬文十四 𣴺泉涌皃 笨竹裹一曰不精也 㮥𣐍舟篷也或作栟 穦穙積穀未敷皃

体性不惠也 体傳劣 䡞輴車蓬也或作輴 麊麊牝麋 墳土起 䴅麻蒸也 餴粗食 ○蕙

懣惆鞔母本切煩也或省亦作惆鞔文八 㵍水盈皃 悗廢忘也莊子悗乎忘其言一曰無匹皃 瞞瞞瞀也 悶

悶然也 ○損扻鎖本切說文減也古作扻文九 膹臏說文切熟肉內於血中和也或作臏 痒痒瘵寒也 順

目病 䟾祼足行也 硸石次玉者 㛢國名 ○忖寸取本切度也或省文五 刌村博雅斷也或作忖 譐

聚語 ○剸祖本切說文減也文八 撙挫也禮恭敬撙節 噂譐說文聚語也引詩噂沓背憎或从言 傳博雅僔衆也

蕁苯蕁艸叢生 䔿嶟雉名 嶟山高皃 ○鱒粗本切說文赤目魚文十 蓴說文叢艸也 穪禾穳也或

作墓 噂嘾大口也或作嘾 洊再也易水洊至 蹲聚也春秋傳蹲甲而射之徐邈讀 墫說文舞也从士引詩墫墫舞我 僔

說文聚也引詩僔沓背憎 ○黗吐袞切說文黃濁黑文九 畽䵯怨畽行無廉隅或从黑 涒涒涊水濁 炖煮肉也 吨

吨吨言不了 錪方言錪鍾重也 黰黰惃不明 諢諢詪很皃 ○笓囤篅杜本切說文篅也或作囤篅笓一曰篪也文二

[illegible] 渾 [illegible] 大水 [illegible] 䛰 [illegible]

魂 [illegible] 緷 [illegible] 惃 [illegible]

[illegible] 文三十六 [illegible] 睔 [illegible] 說文曰大目也 [illegible] 輥 [illegible]

緄 [illegible] 鯀 [illegible] 袞 [illegible]

[illegible] 一曰 [illegible]

本 布忖切 [illegible] 畚 [illegible] 苯 [illegible] 笨 [illegible]

[illegible] 閫 [illegible] 壼 苦本切 [illegible] 梱 [illegible] 悃 [illegible] 稛 [illegible]

[illegible] 鱒 [illegible] 撙 [illegible] 噂 [illegible] 僔 [illegible] 譐 [illegible]

[illegible]

十四盾闕人名春秋傳晉有趙盾沌水不通一曰混沌元氣未判純束也炖火盛皃庵說文樓牆也一曰室中藏埨

塞也伅敦倱伅不慧或作敦捆推也遯遁逯踲遷也逃也或从盾从彖亦作踲豚腯豚

行曳踵或作腯豚遁僊去也潡大水㡒載米斷屯聚也忳愚也○怨魯本切怨䡅無廉隅文六惀廣雅

思也一曰欲知皃棆東也碖碖䃂石落皃睔目大也淪混淪水流轉皃○炳努本切博雅燸炳煗也文三涊

淟涊濁也淟水也○限魚懇切限切急意文三眼出大皃周禮望其轂欲其眼也鄭康成讀崀山名○芚治本切无知皃

莊子聖人愚芚郭象讀文一

二十二○很下懇切說文不聽从也一曰行難也一曰盭也文五詪說文眼戾也拫牽也䓳艸名似著食之

不夭䩃車革前也○穏安很切艸名文一○懇口很切誠也文八詪眼戾也𥓋石皃墾耕也頎至也

一曰潁隱齦說文齧也豤說文齧也謂豕齧物或从犬狠○頣頷牽很切說文頰後也或作頷文三詪博雅詪詪

語○頷其懇切頰高也文一○洒蘇很切驚皃莊子洒然異之文一

大字二十九 小字五百九十六

二十三○旱下罕切不雨也文十三㟗山名在南鄭𣆭專白也草艸名䛞大言也多言也

悍性急也通作旱垾小堤𠢭勤也睅睆大目或作睆盰捍目䙚大視也踝偏立○罕許旱

切說文网也一曰希也亦姓文十六蔊𦶎菜名味辛或作𦶎厂厈山石之厓巖人可居籀从干暵熯焊乾也

或作熯焊暵𦔳耕也或从耒䕨艸名灘䳚水濡而乾也或从鳥軒關人姓鄭有軒虎涆水名鶾鳥名

○侃可旱切說文剛直也从㐰㐰古信字从川取其不舍晝夜引論語子路侃侃如也文三衎說文行喜皃鶡鶡鳥名似雉五色晝夜

鳴○笴幹簳竿古旱切字林箭笴也或作幹簳亦省文二十一稈秆䅃䅖說文禾莖也引春秋傳或

投秉稈或作秆䅃䅖芉艸名一曰薏苡子衦紆摩展衣也或作紆擀扞以手伸物或省盰目多白也一曰張目

仠長也皯䵟靬說文面黑气也或作䵟靬檊𣐊柄也或从竿矸碾縉也

二十四○緩𦅻戶管切舒也或从素文三十一𢔞徽𢔞徐行捖擊也摩也𧹞赤色一曰濁也𤁣

澣浣濯衣垢也或作澣浣綄博雅纏也一曰船上候風羽岏山多暖明也瞹大目皆也䚗大視也梡

棵斷木也一曰木名一曰薪蒸束或作棵 賗賵賗小有財 篓博雅篤篓䈬也 蔲莞艸名芙蘺也或省 鰀鯇
鯶魚名或作鯇鯶 崾山名 睆縣名在廬江 輠回也禮叔孫武叔見輪人以杖關轂而輠輪者 輐之所用 㴒
漫澷難測也 𪍑全麥䴷 藧蔍也 甂瓦器大口 豢食大豕曰豢 〇盌䍐埦椀鄔管切說文小盂也
或作䍐埦椀文十一 捥取也 賟賟賗小有財 宛關人名春秋傳使宛來歸祊 婉順也詩燕婉之求徐邈讀 䀯捾目 睆
睕小嫵媚或从宛 〇款款苦緩切說文意有所欲也或从柰俗作欵非是文十七 㪀捉也 窾空也 鐓燒鐵也
棺櫳也 棵梡欵斷木也或从完从款 鱫魚名 徽徽後徐行 顆蒄艸名爾雅蒄奚顆凍或作款 稽
禾病 捖擊也 𣸬水名 緩舒也 〇管琯古緩切說文如篪六孔十二月之音物開地牙故謂之管或从玉古者琯以玉舜之時西
王母來獻其白琯前零陵文學姓奚於泠道舜祠下得笙玉琯夫以玉作音故神人以和鳳皇來儀也管一曰姓也通作筦文二十 蛸蟲名 筦說文筟也
輨䡅說文轂端沓也或作䡅 錧田器博雅錸鑹錧也 ⿰革官說文車鞁具 館客舍也俗作舘非是 ⿰衤官博雅絝其襱謂之襱
盥灌澡手一曰灌祭也或作灌 悹悹悹無依也一曰憂也或書作悺 痯爾雅痯痯病也 浣浣滌也史記身自浣滌劉伯莊讀 逭

大字二十四 小字三十

集韻 卷五 四十一 佺

爾雅逭逃也 脘肒說文胃府也一曰即胃脯漢殖貨傳濁氏以胃脯連騎或省 ⿰目官 閞門所以出鍵也通作管 〇滿母伴切說
文盈溢也亦姓文十一 澷懣煩也或省 䈼蒲篓博雅篤也或从滿 鏋金精謂之鏋 浼汚也 䤼塗面也
曼曼澷不分別皃 㒼平也五行數廿為一辰㒼有兩㒼平故从廿从兩 衊以血塗也 〇坢普伴切平坦也一曰發地文四 趖走皃
奤面大 拌捐弃也 〇叛粹䬳補滿切屑米餅也或从半从食文九 皈瓦 䀯大也 綼車輪箄也
般漢縣名在今齊州地一曰面平皃 跘交足坐 鬗鬆髻 〇伴部滿切說文大皃一曰侶也文八 扶說文竝行也
鉡鐅也 竝並同竝縣名在牂牁或作竝 拌博雅拌捐弃也 昄爾雅大也 秚物之相和 〇散散
顙旱切雜肉也隸作散文十四 械麻分也通作散 𢿨飛也 繖𢿨傘𠆳說文蓋也或从巾亦作傘𠆳 𢿵博雅蒿散桃枝
竹也 饊糤說文熬稻粻䊗也或从米 𥳑竹器 鏾弩機緩謂之鏾 𦯧艸名 〇鬢子罕切鬓好也一曰光澤皃文四
趲逼使走也 攢補也 攢折也 〇瓚在坦切宗廟祼器一說三玉二石曰瓚四玉一石曰瑰玉石相半曰珵諸侯用之文四 欑
巑攢祭處 趲逼使走 囋嘲也 〇算選損管切說文數也 撰或作選撰文七 𥫱說文淥米籔也 簒篹籑

籩屬一曰竹木素器或作𥳩通作匴 𥳑博雅𥵊謂之𥳑 ○ 篹𥳩纂纘祖管切說文似組而赤一曰集也或作𥳩纂纘文十九 欑

車衡三束 纘餐說文繼也古作餐 穳廣雅鋋也 欑矛戟柄一曰管欑禜祀之所 儹說文最也一說聚而計事曰最 贊

篹說文竹器也或作篹 酇說文百家為酇酇聚也一曰縣名在南陽 燇焌灼龜也或作焌 僔衆也 鐏戈柄下銅 趲

逼使走也 穳篹纂禾積也或作纂 ○ 鄹䣝緒纂切亭名在新豐或省文五 選算筭數也或作算筭 ○ 亶

單黨旱切說文多穀也一曰誠也厚也或作亶俗作亶非是文二十二 𤺺癉風病或从單 鴠鴠鳴鳥名 閆𤇫彥也 嘽

㨴也 疸黃病 笪担博雅擊也亦姓或从手 皽面瘡病也 𦨀博雅䑽舶厄也 狚獸名獦亶也 嬗婵也 燀

厚燠也呂氏春秋衣不燀熱 𢋈偏舍謂之𢋈 繟緩也通作嬗 𠟐割也 繵束也史記繵緣中經維絡 僤速也動也 憚

怛勞也或作怛 ○ 坦壇儻旱切平也明也或作壇文十三 閆關也 儃儃儃舒閒皃 僤速也動也 𩍭䩥

柔革或作䩥 䁴明也 璮玉名 𩑰面平也 嘽嘽咺聲舒緩也 𢿋數數無文 嬗緩也嬋也 ○ 但袒

襢亶蕩旱切說文裼也或作袒襢亦省文二十三 膻胆說文肉膻也引詩膻裼暴虎或省 儃何也 僤速也 誕

𧥣𠴛說文詞誕也或省亦从口誕一曰大也 觛說文小觶也 𥊍驃冕也一曰大帶謂之縇 縇 憻憻悅之輕服

𧺧馬帶也 潬江東呼水中沙堆為潬今河陽縣南有中潬城 蜑蜒蠻屬或从虫 憚勞也難也 撣說文提持也

嬗緩也嬋也 柦木器如𢹂無足 ○ 嬾懶悚㦨嬾𡤻魯旱切說文懈也怠也一曰臥也或从心亦作悚㦨𡤻

𡤻文十五 糷糷𥽖飯相著也或从蘭从柬 灡潘也 讕𧫶囒詆讕誣言也或作𧫶囒 攋方言壞也

𥛷惰於祭也 ○ 虦士嬾切爾雅虎竊毛謂之虦貓䖘乾讀文一 ○ 攤乃坦切按也文二 𢤦以巾拭揮也 ○ 短𢬍

覒緩切說文有所長短以矢為正或从手文九 裋布襦 斷刣剬㫁截也古作刣剬㫁俗作斷非是 𢭃博雅轉也一曰轉箧

也 賯睆賯小富 ○ 疃畽墥暖蹖土緩切說文禽獸所踐處引詩町疃鹿場或作畽墥暖蹖文九 𧬤誺𧬤言惑

𢤞悚𢤞心惛 㾓瘓㾓病皃 鞖履後帖 ○ 斷𣃔𠜴刣杜管切絕也古作𣃔𠜴刣文八 蹖說文踐處也

鍛緞鞖履後帖或从糸从革 ○ 𣯌千短切說文精𩠴也文二 𣰰重系也 ○ 卵魯管切說文凡物無乳者卵生象形

文二 怨行無廉隅謂之㤪怨 ○ 侒阿侃切侒侒不懼也文一 ○ 輐五管切輐斷刑截所用也一曰圜皃文二 䚗䚗斷無圭角皃

㬉煗暖暝 乃管切說文溫也或作煗暖暝文十一 餪 博雅餪餫饋也一曰女嫁後三日餉食爲餪女 渜湄 說文湯也或作湄 稬 稻也 褼 短襦也 堧 垣外餘地 臑 體煗也 ○豢 胡犬切養也莊子民食芻豢文二 輐 圜皃 ○渙 火管切弄水也文二 瘓 痛也

二十五 ○潸 數版切淚下皃文二 霽 雨皃 ○棧 楚綰切說文齧也文二 齴 齴齗齒不正皃 ○酢 阻版切酢醆老也一曰色慙文三 拃 摸也 翪 迅飛皃 ○𧍨 仕版切蟲名爾雅蜆馬𧍨一曰蟬大黑者謂之𧍨文三 虥 虎竊毛謂之虥猫 齴 齴齗齒不正皃 ○撰篹巹 雛綰切持也具也或作篹巹文五 饌篹餐 具食也或作篹餐 簨 竹器禮食於簨徐邈讀

○赧赧戁 乃版切說文面慙赤也周公天下於赧王或从皮亦作戁文 𨡎醆 酢醆色慙或作醆 戁 說文敬也 㬎 說文溫溼也 蛃 蟬屬 ○㬎 丑赧切㬎㬎溫溼皃文一 ○僩 下赧切說文武皃引詩瑟兮僩兮一曰寬大皃文七 憪 愉也 撊 忿皃春秋傳撊然授兵登陴 橌 大木 捍 止也 獮 猛也 𢄊 縣 也 ○齗齫 雅版切說文一齒見皃或 从开文三 嵃 峨嵃山皃 ○睅睆 戶版切說文大目也或从完文十九 鯇 晥晥 明皃或从日 鋎 刃也

莧莞晥 莧爾笑皃或 莞字 裷 衣一 襠 麲 黃蒸麲 麥爲麴 或从全 皖 山名 悍 也 捍

木柵也史記欄 囚拘劉伯莊讀 聅 皃 脘 肉 捍 捍摌搖動 浣 水名在江夏 綰 鄔版切說文惡也一曰絳也繢 也擊也文五 捾 取也 䩀 曲面謂之䩀 悺 關人名漢有左悺 睅 目 ○版板 布綰切說文判也或从木文八

蝂 蝜蝂蟲名或書作蝂通作版 舨 艫舨舟也 㼓 說文敗也一曰牝瓦 鈑 爾雅餅金謂之鈑 胖 夾脊肉一曰半體也周禮膴胖 杜子春讀 昄 說文大也 ○眅 普版切多白眼也文二 盼 大也 ○阪坂[illegible] 部版切坡也或从土从𨸏文八 返

仮 說文還也引商書祖伊返或从彳 昄 大也 反 難也詩威儀反反沈重讀 魬 魚名 ○矕 毋版切說文目矕也一曰目美皃 婩 傲慢也 蔄 菜名 瞞 瞞然慙皃 眅 多白眼也 𧅏 艸名 文六

二十六 ○産 所簡切說文生也文十二 簅 大籥通作産 摌 捍摌手精擇物也 㹌 說文畜牲也 嵼 嵼嵯山曲皃 汕 魚游水也 滻 說文水出京兆藍田谷入霸一曰出涕皃 簅 竹器 驏 馬名 樔 木名 䵐 礱粟也 㦃 全德也

○剗 楚限切平也翦也韓詩勿剗勿敗文十三 鏟 說文鏶也一曰平鐵 丳 燔肉器 羼 說文羊相厠也从羴在尸下尸屋也

一曰相出前也㦃全德也䮗騝字林䮗栗也或作騝䑱皮也殘說文齹也䴼麥也蹍徒騎也𠟓劑也

戔擣傷也○㦃揣綰切全德也文二䮗䮗栗○醆阻限切盎齊也禮醆在戶文十一琖𧣴盞湔

錢王爵也夏曰琖殷曰斝周曰爵或从角从皿亦作湔錢㯺木名棧爾雅鍾小者謂之棧東晉元興中剡縣民井中得一鍾長三寸口徑四寸銘曰棧一曰淺也

峨嶘嵯嶘山峻皃或作嶘戔擣傷也○棧仕限切說文棚也竹木之車曰棧亦姓文十八䗃博雅伎也

一曰蜀道輚轏臥車也一曰兵車或作轏通作棧䑟腹大皃殘犬食曰殘嶘峨說文尤高也或省亦書作㞜

鯎𩷘魚名或从孱孱博雅惡也一曰孱陵縣名在武陵𤡪羴豢羊屋也或从羊僝具也劗博雅攻也

虥虥貓獸名齴齒跌皃蝬馬蝬蟲名○限下簡切說文阻也文八硍石聲睅說文大目也一曰晚睅目視皃

堅牛不從牽謂之堅閬㒊𡋭閬也或作㒊𡋭通作限骭脛中也○齦齗起限切博雅齧也或从牙文二

○簡賈限切說文牒也一曰略也閱也文二十三𣏋說文大木皃瀾說文淅也僩撊武皃爾雅瑟兮僩兮或作撊

襇襉帬幅相攝也或省柬揀說文分別簡之也或从手暕簡也𥳑說文簡閱

文八十一字 小四百四十六

視也閒地名春秋傳大蒐于閒○眼目語限切說文目也古作目文六𪘨棧𪘨高峻皃嵃峨嵃山皃𨃩跡也

嘐小笑皃○盼匹限切目也一曰美目皃文一○晚武簡切說文晚䁥目視皃或書作睌文一○版板蒲限切籍

也古从木文三阪阪泉地名○𨋏䡇眼切車報文二寘寘嬴進突也

集韻卷之五

韻卷之五

五福五代堂古稀天子寶

八徵耄念之寶

太上皇帝之寶

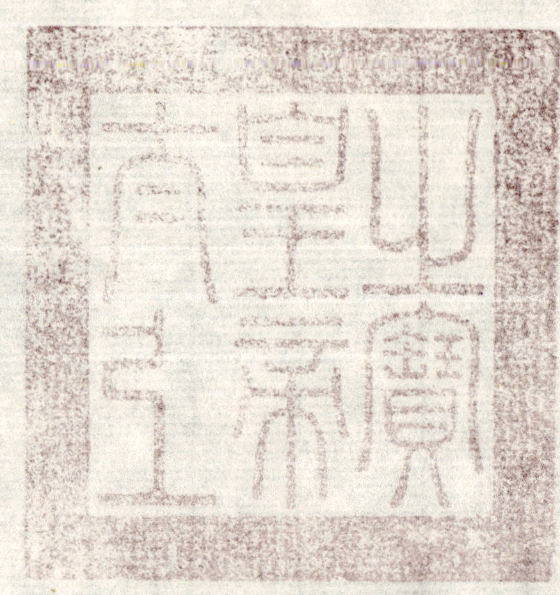